# CARTAS A LAS GOLONDRINAS

---

# CARTAS A MÍ MISMO

COLECCIÓN AUSTRAL

N.º 1310

# RAMÓN GÓMEZ DE LA SERNA

# CARTAS A LAS GOLONDRINAS

---

# CARTAS A MÍ MISMO

ESPASA-CALPE, S. A.

*Edición sepecialmente autorizada por el autor para la*

COLECCIÓN AUSTRAL

© *Espasa-Calpe, S. A., Madrid*

—

*N.º Rgtr.º: 33—62*
*Depósito legal: M. 847—1962*

*PRINTED IN SPAIN*

*Acabado de imprimir el día 6 de febrero de 1962*

*Talleres tipográficos de la Editorial ESPASA-CALPE, S. A.*
*Ríos Rosas, 26. — Madrid*

# Í N D I C E

# CARTAS A LAS GOLONDRINAS

# INTRODUCCIÓN

Como un recuerdo al piano y antes que nada,
deben ir las Golondrinas inmortales de Bécquer:

## VOLVERÁN LAS OSCURAS GOLONDRINAS

Volverán las oscuras golondrinas
en tu balcón sus nidos a colgar,
y otra vez con el ala a sus cristales
jugando llamarán;
pero aquellas que el vuelo refrenaban
tu hermosura y mi dicha al contemplar,
aquellas que aprendieron nuestros nombres...
Ésas... ¡no volverán!
Volverán las tupidas madreselvas
de tu jardín las tapias a escalar,
y otra vez a la tarde, aún más hermosas,
sus flores se abrirán;
pero aquellas cuajadas de rocío
cuyas gotas mirábamos temblar
y caer como lágrimas del día...
Ésas... ¡no volverán!

Volverán del amor en tus oídos
las palabras ardientes a sonar;
tu corazón de su profundo sueño
tal vez despertará;
pero mudo y absorto y de rodillas,
como se adora a Dios ante su altar,
como yo te he querido...
Desengáñate,
¡así no te querrán!

# PRÓLOGO

Este libro nació de una carta que fue como una declaración de amor y después vinieron las otras, todas escritas con la espontaneidad del enamorado.

La golondrina marca de inmortalidad nuestro paso por la tierra y pone su sello alegre en nuestro pasaporte, que no será válido en su hora si no lleva ese paréntesis que vuela.

No sé si es corto o largo este libro; pero sí sé que marca una ansiedad espiritual, jaculatoria para cualquier primavera venidera.

Cuando los hombres instituyan las fiestas lógicas de la vida, habrá la fiesta de las golondrinas.

Tienen tal importancia las golondrinas, que en su adolescencia Cocteau sufrió la mayor angustia temiendo morir sin haber expresado «los chillidos de las golondrinas», y Dalí ha supuesto que «las catedrales de Nueva York tejen medias y mitones para vosotras, ebrias y empapadas de coca-cola».

Las golondrinas imitan con sus chirridos y silbos el frenar de los autos cuando reprimen sus cuatro ruedas frente al portal del verano.

La golondrina se baña un instante en el agua como la mano que roza la pila del agua bendita y después traza la persignación de su vuelo.

La golondrina que da vuelta rápida a la esquina parece que lleva en el pico un alfiler a la dama que lo necesita con urgencia.

Tres golondrinas paradas en el hilo del telégrafo forman el broche de la tarde.

Las golondrinas abren las hojas de los libros puramente contemplativos como incesantes cortapápeles que nos han traído de Alejandría.

La golondrina llega tan lejos porque es la flecha y el arco a la vez.

La golondrina es escritura, palotes y comas reunidos por la pluma expedita del escriba esparcido del destino.

No es lo minúsculo. Recordad. A veces avanzó hacia nosotros tomando una dimensión imponente y amenazadora, fenómeno que no sucede con ningún otro pájaro, como llenando ella sola el *écran* al que mirábamos.

Nos han dado ese susto y no lo podemos olvidar.

Su misterio de *Hai-Kai* nos hace suponer a veces que nacieron de un golpe de pincel chino.

No sólo silban, sino que tienen un gorjeo que espurrea durante sus vuelos más encalmados.

Tiene una epilepsia sin rutina, repentinamente, entrando en temblores que borran la serenidad de su vuelo.

El zigzag y el dizque que hace para entrar en su nido, afilada y ceñida, tiene algo de brujería.

Todo eso se pierde de pronto como si quedaran en la distracción suma, desapercibidas, volando tan en lo alto que son como mosquitos de la fotoesfera, gozando en esas alturas sin flores, de la voluptuosidad de la altura.

Se ve que tienen el deber de repoblar el mundo, el mandato celeste de su signo y por eso están inquietas por su nido, viéndose que recelan del hombre como si hubiesen oído hablar muy mal de él, dando muchas vueltas para despistar antes de entrar en su nidal.

Traspasan los muros y sesgan las grietas.

Son bigotes y perillas del cielo.

Tienen momentos de formación de antigua batalla en que pasan ante nuestros ojos con la velocidad de las lanzas de los lansquenetes lanzados a tomar el castillo. (Así biselaba el cielo ante los ojos del caído la lluvia oblicua hacia arriba de las puntas de las lanzas.)

Si ellas aparecen es que se os ha absuelto de morir en el invierno que pasó. Dadlo por seguro. Lo certifican.

Posadas en los hilos del telégrafo son como esa frase musical que el músico escribe en los álbumes.

Toda la primavera trae un cucurucho de golondrinas y lo abre para que suceda la magia de esa repoblación del cielo que proclama la continuidad de la vida sobre la continuidad de la muerte.

Mi secreto de amor por ellas es que no diré nada sobrante sobre lo que son, pues el decir por decir no se puede lograr con la golondrina. Por eso otros escoliastas sobre las golondrinas van muertos, dijeron lo excedente, se pusieron demasiado exquisitos, creyeron que con ellas podría pasar la traición de la imagen.

El abanico en que ellas figuran no puede ser amanerado y al abrirlo hay que tener mucha delicadeza, pues se aja a cualquier brusquedad.

Pareciendo bichos son almas, testaferros, albaceas, padrinos que vuelan.

El poeta acertó por eso al hacerlas el duplicado único del amor de balcón, la interferencia temblorosa que revela que la pasión que debe consumarse debe hacerlo en seguida porque el pábilo se ennegrece y consume al mismo timpo que la luz.

¿Qué viñeta tiene el papel de cartas de cualquier tarde? Golondrinas. Por algo será.

No las monumentalizo al darles esta importancia de aparecidas, de doncellas que cuidan los idilios, de confidentes últimas cuando hay desengaño de amor, de continuadoras esperanzadas cuando la que no vuelve es ella —Araceli o Pilar— y no ellas.

Estamos en un mundo en que, si se piensa bien, lo más importante es una recepción de golondrinas tranquila, sin intriga, como si nos hubiésemos reunido a rezar un rosario alegre, animado, rezado en el esparcimiento de mirarlas.

Ejercicios espirituales de golondrinas, texto de libro con encuadernación de nácar, divagación nostálgica que poder volver a leer otro día de otro año a la hora en que hay colgaduras de almas en los balcones, es lo que yo he querido hacer con esta letanía en que si alguna metáfora se ha repetido —procuré que no— la perdonéis porque letanía es un poco repetición.

Lo que vale es estar entonados, místicos, elementales, con mirada de moribundos vivientes, candentes, bondadosos que van a vivir muchos años gracias a la breve oración de las golondrinas, al leer y volver a leer estas cartas, que estarán mejor cuando se pongan amarillas.

He escrito estas cartas una a una, a través de los años, y aunque alguna estuvo escrita en medio de cruenta guerra, se ve cómo en el peor momento humano se pueden levantar los ojos a las golondrinas y al Dios que está siempre por encima de ellas.

Me dirijo a todas, a la golondrina de alas crespas *(Stelgidopteris serripennix)*, que utiliza las madrigueras que han abandonado los martín-pescadores, a la golondrina de los graneros *(Hirundo horreorum)*, que, pegando bolitas de barro en las vigas, forma su nido en forma de copa, a la *Petroche lion lunifrons*, que hace su nido en forma de calabaza, a la golondrina arborícola *(Tachycineta bicolor)*, que se alimenta del fruto de los árboles, y a la golondrina americana, al avión azulado *(Progne subis)*, que es la de mayor tamaño que se conoce, pues tiene veinte centímetros de longitud.

Y como última advertencia prologal diré que si resultan sospechosos tantos recuerdos a Bécquer como posdata de todas mis cartas, hay que disculparme, porque dados una vez no podía dejarlos de dar siempre, pues me resultaba ingrato olvidarle como si así desacatase al hermano mayor en el más allá de las golondrinas.

R. G. S.

# I

## CARTA DEL PRIMER AÑO

Queridas golondrinas:

Ya era hora de que se os escribiera una carta que sólo en su comienzo se ve que es viable y tiene naturalidad familiar y verosimilitud. He tenido que estar en la serena América para que se me ocurra esta correspondencia.

Os quiero escribir porque sé que se os debe carta desde hace siglos, carta que os abarque a todas, carta para agradecer vuestra hermosa poesía sin contenido, hermosa en su distraer y disuadir de las raquíticas y mezquineras ideas económicas que quieren llenar toda el alma contemporánea. ¡Cómo os reís de esa menudencia que se llama contenido!

(Para que se vea que una cosa que parece absurda no lo es, basta con darse cuenta de que una carta a las golondrinas es posible y, en cambio, no lo sería a las moscas o a las grullas.)

Os escribo muy de madrugada, antes de que irrumpáis en el cielo de la mañana, pues sois tempraneras pero no madrugadoras.

Como sois esencia de tintero, estáis siempre escribiendo tarjetas postales con vuestra letra cruzada y llena de posdatadas. Por eso, en la actual crisis de la correspondencia privada y para que no se pierda el confidencial estilo epistolar, ¿a quién escribir mejor que a vosotras, antiguas y queridas amigas que aváláis con vuestra firma el cheque de la primavera, aventurándoos a veces a girar en descubierto?

Sois el verdadero marchamo que precinta el envío de los días felices. Ya están ahí las golondrinas y las golondrinas nunca se equivocan, decimos al veros, pero el buen tiempo se retrasa y entonces pensamos que os habéis adelantado por abnegación, por dar fe a los enfermos y convalecientes haciéndoles suponer tiempo bueno y seco.

Quizá vuestra misión preliminar es aturdir con vuestro vuelo, reanudar esperanzas, escribir recetas en enrevesada letra de doctor, al correr de la pluma sin que en las farmacias entiendan lo que se pide, lo cual es quizá mejor porque así despacharán lo bonancible y lo innocuo. En los viejos paquetes de cartas de las señoras que se adornaron con camafeos y azabaches hay muchas recetas vuestras.

«La vida va a variar por completo», dicen los que no se fijan en lo que dicen vuestras auténticas y providenciales misivas.

Por eso os escribo, porque estoy conforme con vuestro presencial «todo sigue igual», siendo lo estable en la Naturaleza, lo devenirista, lo sensato.

Voláis y escribís, escribís y voláis. Tenéis algo de secretarias del amor y garrapateáis los eternos modelos de cartas, desde el modelo de carta número 1 «declarando

el amor a la vecina» hasta el modelo en que la viuda
contesta al que quiere ser su protector y que fue amigo
de su marido.

No tenéis la frivolidad del jilguero, pues vosotras no
cantáis sino que escribís improvisando sobre hojas que
arrancáis al carnet del cielo y que tienen una punta negra
porque siempre estáis de alivio de luto.

Sois el borrador de nuestros borradores y nos dais el
sobresalto de lo que esperábamos y de pronto se nos va
ya, lo que ya teníamos en sus primeras palabras y después se nos olvida, al abrir y cerrar de un balcón.

Nos recordáis a las señoritas de negro que salen de
las testamentarías o que van en las procesiones, esbeltas,
abanicándose con mucha algarabía de que si fulanito o
que si menganito las quieren, y si no sois un verso sois
una dedicatoria, la dedicatoria del poema a la señorita X.

La diferencia de infancia a vejez es veros por primera
o por última vez. ¡En los ojos de los niños, cuán nítidas,
y en los ojos de los viejos, cuán acataratadas!

Compensáis la vida y reunís emociones de ciudades y
tiempos distintos como si con el titileo de vuestro vuelo
proyectaseis la película retrospectiva a la par que actual.

Áncoras o anclas del pensamiento viviente, se podría
contestar a los que piden machaconamente «¡Doctrina!
¡Doctrina!»: «¡Golondrinas! ¡Golondrinas!»

Al mirar hacia el pasado, al ver en los diccionarios
enciclopédicos los retratos de tantos que fueron y vivieron y murieron, se ve que todo lo que hicieron o se acu-
muló sobre ellos fue deleznable y que lo positivo que
tuvieron o no tuvieron fue su delectación de golondrinas,
su haber sabido leer vuestros vuelos emparentados con
el cielo y con los juramentos de fidelidad a la vida y a

su ritmo modesto, escritos en los signos de vuestro ir y venir.

Sois como revuelo de señaladoras manillas de reloj de pared, sueltas y llevadas por el viento en vorágine de horarios y tenéis que ver con la velocidad del tiempo, formando un barullo golondrinesco. El dedo de Dios mueve las alas y las agudas colas en puntual hora.

Os escribo porque no tenéis consigna y no os enredaréis en ruin polémica, en cuestión de céntimos. Sois agua de desaprensión para sed de locura, la sed más difícil de apagar, lo que sólo vosotras calmáis moviéndoos al dictado de lo que no hay que explicar ni explicarse.

Os veo con vuestros chalecos de chambelanes atravesados por una banda, y sé que sois pequeños seres románticos que os paseáis por el rosedal del cielo.

En el Monte Calvario quitasteis las espinas a Cristo y desde entonces vuestro pico es como una espina con suerte, aunque en vuestra boca ha quedado el rictus desgarrado de aquel dolor. Por eso si el labriego os maltrata, la leche de sus vacas saldrá mezclada con sangre según la tradición.

> *En el Monte Calvario*
> *las golondrinas*
> *le quitaron al Cristo*
> *las cinco espinas.*

Ya sabemos también que antes fuisteis consagradas a Isis y que los romanos sitiados se valían de vosotras para enviar noticias a lo lejos, pues sobre la paloma mensajera, que vuela a ochenta kilómetros por hora, vosotras voláis a ciento veinticinco.

Con vuestras alas de punta de paraguas remáis en los cielos, mientras en la cola vuestras largas plumas timoneras son, con su forma de tijera abierta, la tijera que corta el hilo del invierno, lo que le queda de estar encuadernado con la primavera.

Aves cosmopolitas, sois lo eterno, lo que vuelve, lo que bendice, lo que ancoriza, lo que no para demasiadas mientes en lo que va sucediendo. Los hombres que quieren desmentir lo que no es mentira, quisieran suprimiros, tacharos como la censura tacha las palabras sinceras en su deseo de que los demás no crean que todo va a seguir igual, que todo va a ser tal como fue, pasada la estridencia extraña de lo que sucede.

Golondrinas, golondrinitas, guirnaldas o coronas de pluma negra en cuyas cintas se lee con letras de oro «cuando se nace se muere» o «cuando se muere se nace» tenéis en la tarde la alegría de la mañana y en la mañana la alegría de la tarde. Como no pertenecéis a ningún tiempo, no pertenecéis a ninguna arquitectura y del mismo modo dais la vuelta a una pirámide de Egipto que a una catedral.

Vuestro vuelo plectra las cosas, se baña sin inmersión en las aguas, reconoce la vida, se ejercita en el puro vivir huyendo de la muerte, a la que dais esquinazo.

Tenéis goces de águila cuando subís a lo alto, aunque tomáis pequeñez de colibrí, pero, en cambio, en lo bajo parecéis ibis negros.

Ya sabéis que yo suelo escribir en los álbumes que sois «una flecha mística en busca de un corazón», pero el flechazo más amoroso que disparáis es el que enfrenta vuestro nido cuando lleváis el gusanito de regalo a la boca abierta de vuestros hijos.

A veces sois tan elegantes que parecéis corbatas de *smoking* que vuelan y otras veces ciclistas que corren montados al aire sólo sobre el manubrio de sus bicicletas, cazando la libélula como si pasarais la sortija en raudo prodigio.

Estáis dictando vuestro ininterrumpido curso de verano entre juegos y deportes hace siglos y por eso os escribo esta carta de gratitud, pues tenía muchas golondrinas ahorradas en mi caja de caudales vacía. Fuisteis las primeras cifras del lenguaje escrito, la primera taquigrafía del pensamiento y de los epitafios en los primeros cielos que miró el hombre fatalmente analfabeto.

Como en una carta se admiten encargos, yo os pediría que lancéis vuestro *si-ri-ví* al pasar por las ventanas que no tienen espectadores y en las que se acoda con sus hermosos y largos brazos la mujer escondida.

Como vosotras entendéis todas las delicadezas del estilo, comprenderéis cuando diga que la tarde muere en unas pestañas de mujer morena, y en respuesta a vuestra idea de que el amor es alegría os diré que el amor no acaba de ser alegre porque mira hacia el contraste del acabóse y de la muerte.

Golondrinitas toreras, ponéis patillas a la tarde y ensayáis el toreo preinfantil y celestial en la plazoleta semialta del cielo.

Con vuestros collares de escarapela abrazáis el aire, enlazándolo por el talle y yo comprendo los ratimagos, firuletes y ringorrangos de vuestra dicha. ¡Qué bien esa broma cuando estáis escondidas en una esquina y dais de pronto un pase y un susto al orgulloso transeúnte!

Os tengo que pedir perdón por algo que siempre me ha remordido, pues yo fui niño cuando se vendían golondrinas atadas a una pata por un largo hilo de algodón y os he tenido en un dedo al que vuestros deditos se agarraban con entrañable miedo.

¡Cómo volabais en la casa y queríais sosteneros sobre los marcos dorados y caíais resbalando por su lienzo hasta que a la mañana siguiente os libertaba, no haciéndolo la misma noche por temor a que erraseis por tejados llenos de gatos!

Y como esta carta va resultando larga, os diré para terminar que no me importa que la lean también los vencejos, pues no soy tan meticuloso como los naturalistas, que no quieren que los vencejos sean golondrinas.

Con muchos recuerdos a Bécquer y esperando que me contestéis con vuestra angulosa y elegante letra de colegialas del Sagrado Corazón, queda vuestro contemplador fervoroso

Ramón.

# II

## CARTA DEL SEGUNDO AÑO

Mis queridas golondrinas:

Vosotras pasáis y volvéis siempre negras y ella ya me pregunta si tendrá que teñirse, porque le han aparecido las primeras canas.

Vosotras que cruzáis por el cielo de la tarde me tenéis que decir si ha llegado la hora, pues yo no me atrevo a dictaminar en una cosa tan seria que es como el primer luto.

En el mundo joven de América no debía encanecerse y sólo de veros volver, de miraros, cabalísticas y llenas de fe, en el cielo de la tarde, se podría conservar el tono oscuro de las cabelleras negras.

No creáis que no espero de vosotras el milagro de la hora en que sea necesario que ella se sacramente de teñido.

Quisiera evitarlo por mucho tiempo y por eso os lo pido. Quitadle ese bautizo negro que, cuando comience, ya entenebrecerá la sinceridad de su mirar.

Tenéis que ser protectoras de la mujer, pues la mujer es una sombra que representa todas las mujeres y todas

las golondrinas. Teñid sus cabelleras desde vuestra lejana coronación.

No será vergonzoso decir a la amiga:

—Estoy teñida de golondrinas.

Tenéis la fulgencia de pasar por parajes inmensos en
que hay plantas llenas de virtud y con esa salutación
de los grandes espacios vegetales podéis hechizar los
cabellos de la mujer aún joven que ha visto dos canas
como dos brujas entre sus cabellos.

Sois una especial quiromancia del cielo y sabéis que,
aunque hubiera asistido a aquella cita él, todo hubiera
sucedido igual, pues la vida es una sola tarde con golondrinas.

Ella os busca durante el invierno en la sombrerera
donde encuentra plumas de pájaros que sólo vivieron
de su orgullo, que no organizaron como vosotras rifas
de felicidad para todos los vivientes el día de estar
asomados.

Reteñidla con esmero y dad brillo a sus ojos, que
tienden a ponerse tristes, y conservad la pincelada perfecta de sus cejas.

Cabe en vosotras ese cuidado porque os sobra magia
en estos cielos interminables que se corresponden unos
a otros sin límite de fronteras.

Tenéis una luz gozosa que entra y sale por el arco
más elevado de los arcos, medio arco iris perpetuo que
decora el horizonte.

Sois como la invención de la imprenta en el cielo y
vuestras poesías y vuestras noticias son impresas en el
gran papel azul.

Reducís a la intimidad de una calle o un patio —cantar o notícula— la prolongada extensión que va de in-

menso mar a inmenso mar, pues sabéis que los mundos
son islas pequeñas y en las islas el goce está en un rincón de esquina a esquina.

En la luz de los ocasos del mundo, cuando cae la
experiencia de luz de todos los pueblos, es la mejor
piscina que podéis haber encontrado.

Nunca os he visto tan felices, prontuariando recién
nacidos y recién casados, inscribiendo nuevos alumnos
en vuestra enseñanza de geometría del espacio, ala contra ala el globo de una ilusión.

Sabéis la tumba de cada vivo, en distribución de pisos
con muchas habitaciones y chiribitiles con una sola es-
trecha habitación, apuntando bien lo que queda a cada
destino para vivir, pues tenéis en vuestra mano las
bridas de todos los hilos negros.

Vuestro consejo es «aprovechad de la luz la tarde,
pavés de paz, regalo de la suerte» y yo os sigo viendo
cómo encandiláis el cielo.

En esa vuestra imprenta improvisada y de caracteres
móviles, escribís los pequeños poemas del porvenir, de
los que no tiráis más que una prueba rápida que vuela
hacia los valles que nunca recibieron letra impresa.

Conocéis las praderas de las mejores hierbas medicinales y despacháis recetas que no tienen en cuenta los
humanos ciegos.

Todavía no ha nacido vuestro traductor exacto, pero
algún día nacerá y traducirá todo lo que ponéis en claro
en los cielos porveniristas.

Ya es bastante que os miren y que en lo más hondo
del alma reciban consejos, admoniciones y esperanzas.

Ella, mientras toca con el arco de la lima el violín de
sus dedos, aprende que hay eternidad detrás de los cie-

los con dedicatoria en que ponéis vuestro autógrafo, y
en las casas bajeras, la que toma el mate levanta los
ojos hacia vosotras y entráis en el regusto de sorber el
agua con sabor a tormenta que pacientemente sorbe,
pareciendo que cuando queda libre la bombilla en la
pausa entre sorbo y sorbo os dejan libres de participar.

Todos tienen que comprender que la vida es una cosa
fluctuante entre cielo y tierra, fugaz como vuestro vuelo,
una rúbrica en el aire con la que firmáis en nuestro
nombre todas las sentencias y todas las regalías que
puede tener la vida.

Podéis firmar en mi representación cualquier giro que
quiera tomar el destino, y si no podéis atender a mis
ruegos, ¿qué se va a hacer? Todo es evaporación en los
días que pasan, ver y no ver, haber pensado y no haber
pensado nada, haber querido y no haber querido nunca.

Al fin y al cabo, bien sé que nuestra losa está en el
cielo y vosotras sois nuestro definitivo epitafio, el epitafio vivo del haber vivido.

Mirándoos se pierde toda vanidad y es lo más des-
arraigado del mundo que seáis nuestras testamentarias.
Poned un vuelo de media cola cuando ya no estemos al
balcón.

No olvidéis a quien os ha escrito bajo el ancho cielo
esperando que descorrieseis la cortina del cielo supe-
rior y último.

Abrazos de

*Ramón.*

P. D.—Recuerdos a Bécquer.

# III

## CARTA DEL TERCER AÑO

Queridas golondrinas:

Os escribo antes de tiempo porque urge vuestra presencia para dar serenidad a los cielos y para que llegue la nueva remesa de papel celeste para desahogar las almas.

Hemos tenido regalo de días primaverales, pero sólo vosotras legalizáis la continuidad primaveral y asesoráis el haber llegado a un nuevo tiempo de esperanza.

Parece como si, gracias a una señal usual y auténtica como la vuestra, los cielos desasosegados se sosegarían y el tiempo trascordado se acordaría. Sólo vuestra presencia, con sus rasgueos nerviosos, sin que tenga que ser legible la que escribís, calmaría el temor del porvenir.

Han ido ganando estos últimos años vuestros signos, sin necesidad de interpretarlos como optimistas o como aciagos. De luto y alegres, definís la naturalidad del devenir.

Se os pide que seáis testigos anticipados de lo que sucede y marquéis la vuelta de página que con sólo vuestras notas en ángulo lográis imponer.

El invierno no tiene un marchamo conducente como el de vuestras carreras y vuestros silbidos, pues el viento o es sobrehumano o es demasiado trivial cuando lo representa esa cajita que juega toda la noche correteando la terraza.

Vosotras tramáis algo dibujando laberintos en el cielo y traéis la salud de la continuidad, el signo bonancible, la receta de la vieja comadre.

Se trata de que vengáis un poco antes para numerar las páginas del cielo, porque desde que el mundo es mundo servía en la imprenta del tiempo para marcar la separación de los capítulos. ¡Y cómo necesitamos pasar a otro capítulo!

Tiráis para adelante del tiempo, hilvanáis sus piezas azules, nos ayudáis a dar el salto más allá y se nos habilita como pasado lo que nos lleva al paroxismo como presente.

¡Qué diferencia entre el cielo vacío de vosotras y el cielo lleno de vuestro empeño, animoso en su ir pasando de unos días a otros!

Se nos caen los cielos derrengados si no los coséis a su fondo y nos infunde miedo la «gripe» sin vuestra algarabía, sin vuestra buena inspiración.

Cuando todo se ha quedado un poco sin valor y la suplantación reina en el mundo, vosotras solas habéis llegado a ser lo no apócrifo, lo infalsificable.

Pareceríais un adorno fácil de comprar en las papelerías y si no estáis, porque aún no habéis llegado, nadie os podrá encontrar, aunque acuda a la botica, como se acude por la cantárida o el calomelano.

Como creando bordados para el atardecer y para la noche, tramitáis con escritura de tránsito y futuridad la paz necesaria, cuyos prolegómenos escribís como amanuenses seguras.

Entre lo ameno y lo giróvago vais solucionando el pleito, amontonando legajos, escribiendo alegatos en el ancho papel de oficio del cielo, el único que vale en definitiva.

Plegaria, borrador peticionario, carta de recomendación misteriosa cruzada hasta resultar ilegible, el caso es que sólo en vuestros juegos escriturales hay un exorcismo a lo malo que va sucediendo.

Alguna vez debieron existir en el mundo los filósofos golondrínicos que se dejasen guiar por vuestras palabras flotantes, esparcidoras de elocuencia, guirnaldas del mármol de las nubes.

¿Que decís siempre lo mismo? Mis epístolas, que contestan a las vuestras, revelarán que no.

Creéis en el paseo por el cielo y gozáis nadando en la inmensidad. No gozáis de otro espectáculo y viéndoos así de dichosas, ¿cómo no comprende el hombre el valor del paseo entre cielo y tierra y siempre busca otras diversiones, que son las que le arruinan?

¿No es bastante lección esta lección del paseo delirante y alegre?

Nos vais a volver a encontrar. Hemos temido la muerte más que nunca, pero aún, gracias a Dios, no nos ha tocado nuestro cáncer.

Espero veros como movido simbolismo en el escudo de la tarde, y eso quiere decir que vuestros blasones viven.

Traéis recuerdo y olvido de siglos y espera de en-
contrarnos en el mismo espejo cuando vivamos la eternidad, en que tendrá que haber golondrinas porque, si
no, no sería natural eternidad.

¿Podríamos llegar a decir que sin vosotras no que-
rríamos la inmortalidad porque nos faltaría la variación
del tiempo y el primer día infantil en que concebimos
la felicidad en la vida?

Os espero, cuento con volveros a ver pronto y miro
hacia lo alto hundido en el sillón de mimbre, ya un
poco viejo y destrenzado —el sillón—, como nido usado.

Veré cómo ensancháis el tiempo y nos escribiremos
carretes y madejas de palabras, satisfacciones del haber
nacido, impresiones de la vacación que siempre es mo-
mentánea y llora y ríe por lo corta que es.

Volverán los demás mientras nosotros nos hemos en-
tretenido recortando minutos como recortando figuritas
de papel y cadenetas de colores para una verbena que
después se ahogará, o nos entrará sueño y no celebra-
remos.

Queridas golondrinas: sois las anclas del alma que en
su angustia se siente llevada lejos por presunciones de
ciclón, y el pozo se eleva gracias a vosotras y podemos
quedarnos en casa esa larga tarde de buscar ideas y
temas.

Venid, adelantad la fecha, llenad las pizarras del cielo de alegres alusiones.

Onda y espiral, espiral y onda: salid de las plazoletas
ocultas en que jugáis y venid a nosotros por las escaleras
de caracol por las que bajáis en picada.

Necesitamos vuestros consejos sobre el decorado de la
vida, pues a la recomendación vuestra se debe —ya lo

sé yo— el que nuestras abuelas tuviesen jarrones isabelinos, y toda compra de porcelanas viene del alto pensamiento de las golondrinas. De esto me di cuenta de niño, cuando al meterme en el quicio del balcón de casa de mi abuela veía la armonía, la secreta simpatía que había entre porcelanas y golondrinas.

Sabéis que soy un golondrón entre las golondrinas y que vivo de claras y presentables estratagemas sin ninguna intriga, como vosotras, gracias a la tolerancia de la Providencia, que permite que todos los días baje a mi mesa, pescado con mi cometa de colores, el sustento de cada día.

Ya sabéis que mientras viva continuaré esta correspondencia, pero hoy cierro esta carta con un recuerdo, como siempre, a las golondrinas de Bécquer (que en paz descansen), y con muchos recuerdos a todas las que vuelan en cielos del presente y a las que han de venir, queda como siempre vuestro fervoroso contemplador

*Ramón.*

# IV

## CARTA DEL CUARTO AÑO

Queridas golondrinas:

¡Otra primavera!

Ya os he visto volver como cerciorándome de que el mundo marcha y de que, por encima de todo, el devenir persiste.

Sois la alegría del rasgueo de la carta cuando ya la humanidad se ha hecho al estado de pésame y hay que seguir viviendo y tener esperanza.

Escribís vuestras cartas con tinta nueva de este año y desde luego sabéis que presidís el concierto del mundo civilizado, pero con más paz que los demás.

Primero os he visto encontrar vuestro hogar del año pasado y lo primero que va a ser es empollar las golondrinas, que si vosotras faltáis sabrán de nuevo el camino de su casa en mi alero.

Es maravillosa vuestra orientación, pues ni el hombre siguiendo los caminos a pie sabría encontrar, desconociendo el nombre de la calle y el número, ese hueco perdido entre los tejados que vosotras encontráis siempre.

Voy viendo que sois el único consuelo del hombre, la persuasión del dulce aniversario.

¿Que por qué insisto en escribiros y de dónde saqué esta idea? No lo sé; pero, hurgando en la subconsciencia, creo recordar que de niño las cartas con grandes orlas de luto me parecían cartas a las golondrinas, evaporaciones del negro dolor hacia las golondrinas.

El caso es que ya no puedo dejar de escribiros de vez en cuando, como queriendo conminar y evitar los lutos que puedan acaecer.

Otras generaciones de seres se encuentran con un terráqueo, con una Historia, unas páginas con fotografías, documentos, fechas que fueron muy importantes, pero ellas os descubren, os miran y creen primeramente en vosotras.

Campeáis más allá de la Historia, en sus afueras, y ponéis abanicos de cerbatanas en la tarde. Evocáis campanarios, castillos, torres fantásticas y ofrecéis la corona de laurel del aire, corona de golondrinas.

Comprendí lo que me decíais descifrando las señas que me hacíais ayer: «Vive en la onda serena y para la onda vaga, lumínica y etérea y así sabrás irte a donde no sabes como supiste entrar en la vida desde donde no sabías.»

Onda y espiral, espiral y onda como las palabras de vuestro vuelo cuando no salís de una plazoleta del cielo o bajáis por vuestra personal escalera de caracol, buscando como un disparo vuestro nido oculto.

Aún desconfiáis un poco de mí. Un poco menos que el año pasado, porque ya va teniendo tradición mi estar en la terraza vigilando vuestro alero, no vengan los gatos alados que persiguen los nidos de golondrinas.

Sé que vuestros ojos de gotita de tinta me ven echando humo por mi pipa como una chimenea más entre las chimeneas y que creéis aún que soy un espía robanidos que está esperando que nazcan vuestros hijos para comérselos.

Por eso con esta correspondencia quiero convenceros que no soy vuestro enemigo, sino que espero que en vuestra rauda camilla me prestéis el servicio de la cruz negra de las golondrinas y me conduzcáis en un vuelo de urgencia al hospital de descanso de las alturas.

Los humos rápidos se acaban, las conversaciones apresuradas sobre el mismo asunto se contienen y el mismo pensamiento que daba vuelta alrededor de sus preocupaciones mira a la linterna del cielo y ve como cuando se mira un ejercicio en el techo, cuando los acróbatas pasan de trapecio a trapecio.

¿Que aún no serán todos los días buenos? Ya lo decís las tardes de vuelos altos, demasiado altos cuando veis las nubes que vienen y los charcos remotos.

No podéis tampoco nada con la intolerancia e incongruencia del tiempo.

Sois las primeras víctimas y tiritáis como en un invierno inesperado y hasta tenéis fiebre y doctores que os toman el pulso cuando llegan los días desabridos, tempestuosos, con lluvias frías, con vientos que destrozan vuestros vuelos, aunque sois muy prudentes y arriáis vuestras velas negras y os metéis en la casa oscura con tibieza de alcoba, con picos abiertos que piden.

Pronto pasa el mal tiempo, y con la confianza de siempre en la repetida germinación, sabéis que han na-

cido gusanos y mariposuelas y moscas tiernas para que
los traigáis en el pico sin poder piar mientras conducís
la carnada.

Es alegre el ir y tornar en busca de la alimenticia
caza a la que provee el buen Dios, y un día hacéis la
solemne prueba de sacar hasta el borde del alero a los
que nunca volaron y lanzarlos a la decisiva acrobacia
viendo cómo rizan la curva de puente colgante del primer vuelo.

Retozad, llenad las pizarras de alusiones a los maes-
tros austeros, burlaos del guardia de la circulación que
cuando os oye triscar y cruzar su empalme de autos
hace el ademán conminatorio de parada como si viese
el cartel de «Precaución: Escuela».

Mi mujer me preguntó ayer si podría usar su sombrero del año pasado, amarillo y con lacitos negros, y
yo, que al principio no la oía ni sabía de lo que me
hablaba porque estaba leyendo vuestra celeste carta,
precisamente por lo que en sus zigzags me decís de la
constante moda, le contesté «que sí, que podría usar este
sombrero, que por vosotras sabía que estaba a la última
y, por lo tanto, que no se había anticuado».

—¿No estará cursi? —me repuso.

—No. ¿No ves las golondrinas sobre el ocaso? ¿Las
encuentras cursis?

Quedó silenciosa y comprendió lo que quería decir.

Me dais la ilusión de la riqueza que hay en un poco
de espacio y en un poco de tiempo, el apremio de llenar
de inquietud las horas, borroneando cuartillas, escribiendo cartas con las confidencias más sencillas, prodi-
gando arquitecturales miradas a los pasteles de boda

de cien pisos, columnas de luz con símbolos, árboles de azahares poéticos, volutas de caprichos y de latidos.

Agradezco vuestra advertencia de no tirar nada de lo que tengo, de no esperar recados ni regalos, de no oir el timbre del teléfono, de vivir ensimismado mirándoos.

Vuestro

*Ramón.*

P. D.—Recuerdos a Bécquer.

# V

## CARTA DEL QUINTO AÑO

Queridas golondrinas:

Hoy escribo a las golondrinas detectivescas del crimen en la soledad de la estancia.

Volvéis para saber por qué murió de languidez y con una herida en el pecho la mujer del crimen ignorado.

Hubo unas anteriores golondrinas que la vieron en el porche mirando al cielo y esa confidencia pasó a las otras que volvieron cuando ella ya no estaba y sólo había un reflejo de su corazón herido en un cuadro.

Nadie sabe ese crimen más que las golondrinas, pues la soledad en ese gran campo de flores es muy grande y merodean la casa cerrada y asustan a la conciencia que goza impunidad.

Yo sé que vosotras encontraréis la manera de denunciar lo que sabéis y que algún día saldréis dando gritos acusadores por el cristal roto de la casa en venta, aprovechando la ocasión de que han venido los que la quieren comprar, y guiaréis con vuestros insistentes vuelos al campillo en que ella está enterrada,

Sólo en vosotras fía la víctima abandonada y escribiréis en el papel grande para las encartaciones toda la historia de lo que sucedió, cómo, por no querer ser lo que no quiso ser, el malvado la mató aprovechando la inmensidad de su posesión.

Vuestros vuelos en esa quinta solitaria que me tuvo de huésped eran vuelos de otra manera y hacíais la letra de gancho de los escribanos.

Os conozco tanto, sé tan bien lo que significa vuestra variada clase de letra, que descifré lo que había sucedido en aquel caserón roto.

Siempre me habéis inquietado, golondrinas del campo, como guardesas de la hiperestesia de las vidas en la soledad estranguladora de la Naturaleza.

Tenéis siempre más melancolía y no podéis arreglar un drama tan grande.

En la ciudad se organizan las vidas unas a otras y vuestras máximas son máximas de manual, corteses, leves y consoladoras. No podéis curar el corazón.

En el campo no. En el campo llegáis a temblar de pánico vosotras mismas, y no podéis hilvanar vidas y felicidad, pareciendo a veces que os ahogáis en la enorme cantidad de agua que queda de las pasadas lluvias y en cuyos lagunismos hay árboles a medio sumergir.

Pero tenéis como encomendado por Dios un detectivismo más responsable en cuanto os toca vigilar florestas lejanas de las ciudades y de los pueblos, casas solitarias con muchas enredaderas que las estrangulan, demenciales de soledad.

Os escribo también porque quisiera cambiar correspondencia con vosotras en particular y especialmente porque no sólo quiero recibir la confidencia de las vidas

felices en las casas blancas y con campanil, en medio
de los bosques, sino porque a alguien tenéis que contar
eso que habéis sorprendido como secreto del silencio.

No sólo voy a escribir a las golondrinas ciudadanas y
villanderas que no han tenido misión reservada, sino que
sólo tienen la incumbencia de traernos la impresión general y desparramada felicidad de los campos ameri-
canos.

Vosotras, las que vi salir junto a la modesta casa
ruinosa en que se me ocurrió vivir una temporada y
que me traíais como agarrada por los pelos la tragedia
de la gran finca abandonada.

Eso me dio la idea de proponeros ser yo el buzón de
lo que no podéis decir a nadie y sabéis con todas sus
complicidades y con el ¡ay! del día en que el suplicante
suprimió a la testigo de su ensañada maldad.

No tengáis miedo, yo no venderé esa prueba que me
traiga vuestro documento y llevaré adelante la investigación del crimen que sólo sabéis vosotras, guiones de
lo poblado con lo despoblado, detectives agudizados,
desesperadas almas en pena que queréis contar lo que
supisteis en la cadena de las que se fueron y de las
que volvieron.

Vosotras que sabéis cómo fue, me podéis decir dónde
está la fuente en que quedaron las manchas de sangre y
cómo fue desgarrándose como un encaje la ternura de
la mujer dulce y sufrida.

Confiad también en mí para esto y yo me atrevería
a llevar al escándalo de la publicidad el crimen descubierto por las golondrinas.

Quiero provocar la contestación de las que voláis en
lo inextricable y soy el único pasajero entre ventanas

y tapias, que irá corriendo a decir a alguien lo que no podéis decir a nadie, aunque a veces os acerquéis a un carruaje que pasa o hacéis señales aceleradas junto al tren que os deja atrás.

He sentido vuestro gran deseo de relatar lo sabido y hubiera interpuesto entre vuestro vuelo y yo papel blanco y papel carbón y papel blanco para que vuestros vuelos señalasen como con un punzón la confesional novela.

¿Me tendré que contentar con haberos visto detectivescas y alguaciladas sin saber más que lo que sabéis es lo que no podéis contar?

Bueno, golondrinas de aquel paraje, segadoras de la flor del crimen silvestre, inquietadoras niñas mudas que no podéis decir lo que sabéis, que conste que hay alguien que os ha medio comprendido y tiene que callar también esa sombría historia que vio en vuestras alas y en vuestro ir y volver de espías.

Tened en cuenta que comparte vuestra melancolía

*Ramón.*

P. D.—Recuerdos a Bécquer.

# VI

## CARTA DEL SEXTO AÑO

Mis queridas golondrinas:

Os escribo una nueva carta porque representáis el vuelo de las palabras en las misivas que ya apenas escribe nadie.

Tengo envidia de escribir a algo amado, aunque a lo mejor no recibe la carta o no la comprende, pero por lo menos no me habéis engañado diciendo que la comprenderíais.

Vivimos y vivís por casualidad, pero sabéis solazaros con esa casualidad. Rubricáis el cielo, pero vuestra rúbrica no firma ninguna sentencia, es sólo la prueba de firma y rúbrica que hace el niño que comienza a escribir.

Habláis y alabáis al extenso azul que por poco trecho que presente en nuestra cárcel siempre se muestra extenso.

Tenéis sobre los otros pájaros el gusto de remontaros y después descender en vuelos bajos a los que ellos no se atreven, por eso tenéis esa grandeza de quienes se elevan y después descienden a lo humano con la misma sonrisa.

En medio de la gran farsa que se representa aquí abajo —ya sabéis que yo procuro no tomar parte en ella— vosotras vivís la sinceridad sencilla con plumas brillantes, con ojos de azabache. ¡Qué envidia vuestra liberación en lo altísimo, vuestro juego sin asociaciones!

Cada primavera tenéis un juego distinto y os acercáis más a los hombres, casi jugáis en la palma de su mano, si es primavera de felicidad casera en que notáis que se llevan bien unos con otros.

¿A qué jugabais ayer tarde? ¿A las alabardas? ¿Al aro? ¿A las coronas?

Lo bonito de vuestro juego es que, como tiene que sosteneros en el aire y en el aire no se puede estar parado, es un juego continuo, una hilaridad sin tregua. ¡Qué cansadas debéis estar por la noche!

Mejor estáis ahí en vuestro cielo que siendo señoritas y escribiendo a máquina. ¡No lleguéis nunca a la máquina de escribir!

Debajo de vosotras, que vivís siempre en la distracción que es la vida, todos los humanos acrecentándose de problemas, perdida la visión por tantos problemas como han mezclado a su sangre.

Dais una lección eterna y ellos no pueden dar una lección tan fija y no la aprenden, sin embargo.

Yo sí. Yo os sigo en todos vuestros signos y tomo taquigráficamente lo que decís, vuestra alegría en el hambre.

No tenéis apenas canto, sois de poco hablar, pero vuestros vuelos tienen despreocupación entre cielo y tierra. Ya creíamos que se había acabado la pura alegría pública y volvéis.

Mis cartas quieren por eso agradeceros la nueva llegada y estimularse en la devoción a las próximas.

Os lleváis en el pico los gusanos de nuestra muerte invernal y aligeráis la vida de sus corroedores sistemáticos.

Adornáis el espejo de la tarde como esas postales que se colocaban en un ángulo del marco de los espejos de comedor.

No dais importancia a lo que pasa a vuestro alrededor —ya es bastante que llevéis luto por todos— y sabéis que estáis en un mundo efímero y que no hay para tener méritos en el más allá y para la purificación preambular como el goce natural e inocente.

Quisiera imitaros y llenar de rasgueos felices y delirantes las cuartillas que tengo delante y decir cosas como las que decís: «la lenteja es mejor que el centavo», «un reflejo vale más que un conejo». Absurdidades de la espontaneidad en la que sois maestras arrastrando la cinta —cortada como se cortan las cintas en forma de cola de golondrina— de vuestra ráfaga.

En vuestra cabeza el pensamiento de vuestro vuelo, que a su vez es la agilidad del ocio móvil, porque sin ese girar desinteresado los pensamientos se vuelven contumaces, pesados, hipertróficos.

No nos distrae ni el ver hacer el ejercicio de los futuros soldados que de pronto irán a la guerra, ni el juego mismo de los niños que de pronto serán hombres duros e intratables y sólo vuestro ejercicio nos da el descanso etéreo, que se parece al descanso eterno del justo.

Hay un momento en que me parecéis cruces, leves cruces que se curvan para volar.

Hay otro momento que me parecéis letras capitulares de recuerdos y armáis una nueva quiromancia ininteligible: si supiésemos descifrarla sabríamos algo del porvenir.

Nos exigís movimiento de la cabeza para seguiros, pero cuando bajamos los ojos habéis segado con vuestro vuelo los malos presentimientos y habéis calmado como un colirio el cansancio del mirar.

Dulcificáis el pozo del alma y sois el corro calmante en la pradera del cielo.

Nosotros nos vamos quedando sin vista, pero vosotras sois siempre iguales, claro que con ojos nuevos, pues sois niñas al morir.

Observáis si somos los mismos los que estamos al balcón y veis torres, cúpulas y gozáis la ciudad a vista de pájaro más que ningún pájaro.

Veis hasta lo que no vemos nosotros: la campiña que rodea la ciudad y el río que la encinta, y si es lo pequeño, veis el mosquito que pasa cerca o lejos.

Gozáis del dominio excelso del cielo y nos apuráis para asegurar la vida o hacer oposiciones, pues sois doctoras *honoris causa* de la Universidad celeste.

Parecéis haber llegado antes del año como emigrados y refugiados de guerra que saben que sólo por aquí no hay ruido y espanto de explosiones, además de que debéis haber perdido muchos de vuestros hogares en torres y cornisas.

Benditas seáis, que nos dais el hilo para que salgamos antes del laberinto del invierno.

Los demás pájaros trasvuelan el cielo, pero vosotras sois verdaderas amigas que nos dedicáis una visita larga, como esos niños que juegan en nuestro jardín mientras nosotros trabajamos con la ventana abierta.

En este pañuelo de cielo-jardín jugáis con una pelota invisible, con una burbuja de luz con rayas azules que os lleváis raidistas en partido de fútbol.

Ha pasado una mirada de Dios sobre vosotras como si fueseis los detectives que descubren quién se ha convertido en monstruo y quién no, y lleváis esa estadística de gran bulto sin que los pecados veniales enmezquinen vuestra cuenta delatora.

Sois como paréntesis de una idea que vuela gracias a sus paréntesis.

Vuela con vosotros alegre el luto que no tuvimos, el luto de lo que aún vive.

Parece que sois los imperdibles que hacen más larga la tarde porque la prenden al damasco azul.

Mientras vemos caer de las altas chimeneas los pedacitos incinerados de nuestros papeles de pensamientos, vosotras los renováis y los vitalizáis.

De lo humano ya sé que no envidia vuestro pico más que los lunares de las bellas, porque tenéis la superstición de que si se los llevaseis a vuestras hijas las haríais Venus del espacio. ¿Que cómo sé vuestras ilusas supersticiones? Porque os he mirado mucho. La mitad de un siglo sin quitaros ojo.

A veces me llenáis de preguntas. ¿Qué lleváis en el pico? ¿La liga azul del optimismo? ¿El botón de camisa que hace blasfemar? ¿El anillo de oro para la novia sorprendida? ¿La píldora de vida para el que se muere?

El caso es que os ajetreáis llevando y trayendo cosas así, quizá menos materializadas, tales como la media palabra para el indeciso, el sí para la niña, el medallón del recuerdo, pelitos inocentes de novia, el lagrimal perdido, la flor para el ojal del alma. ¡Y cuántas cosas más!

Por vosotras se une en vivo la Hélade a la época actual.

Vuestros ojos están hechos de pedacitos de ojos humanos, dos gotitas de ojo cuajadas en las órbitas.

Para que veáis que os observo bien os diré que me gusta cuando dais rigidez a vuestras alas y son como una sola ala, como esos remos de los acuaplanos que tienen dos paletas —una a cada extremo— y el remate avanza dando a su único remo un movimiento de balancín, unas veces removiendo el agua a la izquierda y otras a la derecha. ¡Y así voláis vosotras esos ratos balándricos!

En fin, seguid escribiéndome en sánscrito con vuestra letra cruzada, porque sois el único consuelo de nuestra mente antes de llegar al sobrecielo y nos enseñáis a ejercitarnos en el vuelo trivial del pensamiento que desapasiona la vida y nos da la presencia de ánimo que nos va faltando.

Adiós, queridas golondrinas, adiós.

*Ramón.*

P. D.—Recuerdos a Bécquer.

# VII

## CARTA DEL SÉPTIMO AÑO

Queridas golondrinas:

Vuestros vuelos son una predicación contra los que creen que la vida es ambición, poder llegar a más, tener más.

La vida, según vuestros sabios indicios, es distancia entre un dibujo de niña en un cuaderno y otro dibujo muy parecido al de esa niña hecho por otra veinte años después y también es, según se desprende de lo que decís en vuestra fuente de tarjetas postales, recordar un jersey de tal color y volverlo a encontrar, pasado mucho tiempo, en otro cuerpo joven.

Las pequeñas cuentas que no nos salen son para que vosotras las borréis.

Gracias a vosotras nos tienen sin cuidado los que se adueñan de las cosas, porque por vuestra sombra en el espejo tenemos el cielo recuperado.

Primero fuisteis atraídas por una luz de espada y de borde de río y después entrasteis en el espejo, donde estáis como un recuerdo antiguo.

Voláis sobre nosotros para evitar que el dragón del aire nos haga daño, asustándole con vuestro pulverizador de pitidos.

Parece que se han soltado las cintas de las colecciones de cartas con sobre de borde negro.

Comprendí la lección de vuestro luto cuando de niño una golondrina cautiva, que compré al pajarero de jardín atada con un hilo de algodón blanco, me dijo que el luto está siempre con nosotros, pero que no hay que provocarlo: «Si no me sueltas morirá tu tía Mercedes», y yo la solté sin temor a venganza, pues ya en el cielo azul se olvidó de mí.

Os confieso que alguna vez más tuve golondrinas atadas a la cabecera de mi cama de niño, con los barrotes pintados como si fuesen cañas, pero siempre os solté en seguida porque no queríais comer nada y vuestro corazón precipitado señalaba la ansiedad de una vida por vivir precipitadamente.

Cucardas y escarapelas de los meses de mejor vivir, nos abrís el coche de la tarde por lo que tenéis de madres de las golondrinas que llevaban los lacayos en su sombrero de copa. ¡Paseo en landó por el campo gracias al rapto de ese vivo recuerdo de los sombreros de copa golondrinados!

Parpadeáis como si, al mover las pestañas, vuestras alas parpadeasen las pestañas del cielo. Algo os ha hecho temblar de pronto, quebrando vuestro sereno pensamiento.

A ratos os empeñáis en buscar algo, quizá a la vecina de antes, a la muchacha que olía a abanico.

Con vuestros ojos desprendidos de todos los acericos que por sus alfileres de cabeza negra son como nidos de ojos, os sacáis y os metéis en los más tibios y cordiales costureros.

¡Sueño consolador de golondrinas! No merece la vida más que parpadear alegremente y pasar en fugacidad de puente que vuela.

Os alimentáis del cascabeleo de los grillos de la noche y sois la grillera suelta de la mañana.

Ironizáis los remates de la arquitectura abigarrada y comprendéis lo loco que estaba ese que hizo esa torre que parece un huso para el viento y os dais cuenta de lo llenos de paradojas que están los alrededores de las estaciones, pues no acaban de saber si es mejor ir que volver, y sabéis ya lo que van a ser esos niños que juegan como en una playa en los jardines de tierra adentro.

Sois como todos los lazos volando y ponéis corbatita de capricho a la severa tarde.

Cuando nos veis asomados en el piso alto entre el abismo del cielo y el de la tierra, tristes por no haber salido, nos estimuláis con premios y diplomas de vuestra caligrafía, si nos paseamos por la habitación comprendiendo toda la gracia de las chucherías almacenadas, y al volvernos a asomar nos damos cuenta de que allí en lo alto está la mejor finca con árboles blancos y estanque azul a que podemos aspirar.

Como a la par que inocentes y juguetonas sois maternales, os he admirado cuando, producto de esos vuelos del divagar y saltar a la comba, aparecéis en el alero de antes de entrar en el nido con una libélula en el pico, como si trajeseis a vuestros niños además de un alimento un juguete.

Gracias a vosotras desaparecen las aves malagoreras, pues tener cerca un mirador de águilas supone peligrosa devoración de las almas contemplativas.

Nadie os puede ahorrar y por eso no seréis depósito en banco alguno y, aunque de buena gana os hubieran hecho cifra y compendio los financieros, no podríais servir para avalar ningún cheque. Sois sardana libre y baile rumano, corro popular que añoran los emigrantes.

Pequeños ángeles de la guarda de la ciudad, compensáis el maleficio de los murciélagos que siempre os están tentando —salen para eso a veces más temprano de su hora— para que voléis de noche, pero vosotras no les habéis querido hacer caso nunca.

Tienen su hora fija del atardecer para irse, momento lleno de misterio, pues cuando las hemos dejado de observar un cuarto de segundo, al volverlas a mirar ya no están.

Se han metido en nuestros sobres como en un juego de ilusionismo, y en las cartas que escribamos esa noche habrá golondrinas escondidas.

Ya veis que os conozco y que son vuestros toda mi simpatía, mis presentimientos y mi afecto.

*Ramón.*

P. D.—Recuerdos a Bécquer.

# VIII

## CARTA DEL OCTAVO AÑO

Mis queridas golondrinas:

Muchos y bellos pájaros veo en el cielo, pero yo os escribo siempre a vosotras porque sois de la unión postal universal del pensamiento.

Vuestra misión es hacernos señales epistolares en la pizarra de los cielos, y la mía es la de contestaros algo de vez en cuando.

Como es imposible escribir estas cartas para entregároslas en propia mano por lo raudas que sois —aunque se os haya pintado con una carta en el pico—, son cartas para ser depositadas en el buzón del nido.

No hay a quien escribir; las cartas se pierden o no llegan o no se contestan y, sin embargo, el estilo epistolar, con su voz de consuelo y esperanza, no debe anquilosarse ¡y ahí estáis vosotras para sostenerlo!

Otra vez habéis vuelto remozadas, primorosas como enfermeras de la cruz negra de la serenidad eterna, que se comunica entre los siglos y que es como herida cerrada en los espacios calmos como ése.

Sois el sello del perennal retorno y, sin embargo, sois las de este año.

Sonreís a lo que significa almanaque y, no obstante, sois vivas hojas del de este año y no giraréis este día, que cae en domingo, como el día de la misma cifra; del mismo mes del año que viene y que ya no caerá en domingo.

Sois de este año de las mangas cortas en que los brazos de mujer han tenido de nuevo permiso para desnudarse hasta el hombro, y del año en que psicoanalizan al que se descuida.

Sois las de este año y las de siempre, porque el poema es al revés, porque serán las mismas golondrinas las que vendrán, significando lo que siempre significaron en el cielo y zurciendo sus desgarrones, mientras los que no serán los mismos seremos nosotros.

«¿Cómo ya no están tales o cuales que nos veían volver? —os diréis vosotras que sabéis muy bien cómo eran los que faltan—. Pues a ellos está dedicada la poesía recordatriz que escribimos a dos alas.»

Sabéis por tradición y por los mapas invisibles que traspasáis a vuestros herederos el lugar que os corresponde y ningún remate ni cúpula os son desconocidos, y preferís las casas en que hay decorado de abanicos o aquellos muebles que se llamaron entredoses y en los que, a vuestra sola evocación, se ponen contentos los encajes y las peinetas.

Bendecís la mañana y nos traéis tinteros nuevos, entrando en vuestros nidos como si no quisierais que nadie note que los habéis encontrado.

Vuestros mejores nidos los he visto en los palacios reales o debajo de los balcones a los que asomaba el rey y al que así dabais la lección de la casa más modesta y feliz, revelándole que sois más perpetuas que su presencia, porque esos antiquísimos nidos vienen del principio, como la señal que dejaron grabada en algunos sillares los picapedreros que los construyeron. En los más petrificados nidos palaciegos, en los que no usaban ya las golondrinas nuevas, había como en una pequeña pila de agua bendita un poco de tiempo del pasado, estando en su fondo.

También conocí, si no vuestros nidos más importantes, los más felices, establecidos en las vigas de los graneros, viéndoos entrar y salir nerviosas y locas, como tijeretazos en la luz, por los ventanillos altos de la panera gustosa y recatada.

Os envidio por todo eso y porque al conocer, como conocéis, el sol en la cornisa, conocéis lo mejor del mundo.

Cuando os tiráis del alero como si os suicidaseis, parecéis papeles recortados en forma de golondrina que arrojan desde lo alto, pero en seguida os reanimáis como aleluyas vivas.

Os reengancháis al tríneo de nuestro pensamiento, llevándole por los paseos del cielo y añadiéndole fuerzas para que pueda seguir divagando frente al infinito.

Me recordáis cada vez más a las que vi jugar en la calle de Monteleón desde el piso de planta baja de mi abuela, corriendo y volviendo a correr entre la calle y el jardín de las monjas de hermética clausura.

Me parecía vuestro irreprimible juego como una venganza de la prohibición de jugar a la pelota que regía en las tapias de las monjas. ¡A nosotros se nos podía prohibir jugar a la pelota, pero a vosotras no había nadie que

os prohibiera la jarana llena de silbidos sobre el jardín
tapiado!

Vosotras, americanas privilegiadas volando en espacios más anchos, sois más libres; ¡pero si vieseis qué
felices eran las que escogieron el rincón de aquella modesta calle madrileña!

Sois fieles por naturaleza y la alegría que hay en
vuestra negrura es la alegría de vuestra fidelidad.

Yo os he visto en el alero de vuestro nido esperando
al esposo que no volvía de su paseo cuando ya era hora
de regresar —¿había sufrido algún accidente del tránsito?— y os he visto rechazar a galanes que querían entrar
en nido ajeno aprovechando esa desazón y esa ausencia.

Sabéis como nadie que vuestra vida larga o efímera
puede acabar en pura independencia, más sin pecado
que la de nadie, y procuráis no rozar lo empedernido.
¡Por eso os miran los poetas con emoción, porque sois
el vuelo y el amor en plena virtud! Sólo las futuras golondrinas y vosotras en medio del espacio incontaminado.

Representáis la sencilla credulidad de la atmósfera
vital —la afirmación de la vida— y os sacan los ojos y
os retuercen hasta el suplicio en los malos amores con
traición. Para mí sois el símbolo que padece retorsión
por lo que sucede en la tierra, como si la deslealtad ofen-
diese vuestros serenos vuelos.

Sois denigradas en lo bajo por lo que hacéis en lo
alto y hacéis más agudo el dolor del que os mira desengañado y herido por el engaño de lo que no contó con
vuestro ejemplo.

Nadáis, más que voláis, en las conciencias tranquilas —estanques que llegan al cielo—, cuya superficie
rozáis como una caricia.

Pájaros con ala serena de ave, aun siendo pájaros dignificáis en vuelos de abstracción, en patinajes de altura de miras, los vuelos alborotados, todavía entre tábano y mariposa, del pardal o del jilguero.

Vestidas de etiqueta, tenéis ese vuelo inmóvil que de pronto pestañea con temblor de alegría de vivir en vuelo.

Parecéis ver y escuchar cosas sutiles al planear con un aire solemne que sólo tiene igual dignidad cuando los aviadores vuelan por volar, sin objetivo en su viaje, contentos de estar entre Dios y los hombres como orgullosos mediadores.

No sirve de igual comparanza el vuelo del águila, porque siempre planea sobre una víctima o la busca torvamente.

Vosotras os introducís por intersticios de lo invisible y sabéis cosas que nadie sabe, el secreto quizá de las explanadas de las almas.

A veces os alborotáis y lanzáis vuestro canto de puntos suspensivos —chirrido de los goznes de las ventanas del cielo—, juguetones y silbantes. ¿De qué avisáis? ¿Por qué gritáis desde lo alto con tanta insistencia?

Me recordáis en esos momentos de alborozo y gritería a aquellas que un día en que San Francisco de Asís predicaba en la plaza pública metían tan ensordecedor alboroto, que los oyentes apenas seguían su sermón, diciéndoles entonces el «Pobrecillo»: «Ahora me toca hablar a mí, hermanitas; escuchad la palabra de Dios y estaos calladas y quietas hasta que yo termine», y es tradición que aquellas vuestras hermanas suspendieron su parloteo y se unieron al atento silencio de la multitud para oír al santo.

Cuando más me gustáis es cuando embestís el aire con los hombros, recogidas las alas, haciendo eses blandas y zigzagueantes. Ése es, casi casi, un gesto angélico.

Con vuestras cabezas sudafricanas y vuestros ojos de rocío que ve, sois cascabeles negros que hacéis al Occidente alegre hermano del Oriente.

Venís a hacer la conversión de las ideas negras del invierno en las alegres ideas de la primavera, y después de escribir el balance de las gripes cerráis con vuestra firma el libro de los convalecientes eternos.

Sin que pueda fijar nadie con certeza —ni los intérpretes y peritos caligráficos del ministerio y de los tribunales— qué clase de labor de pluma hacéis, se os ve rasguear la péñola con un estilo propio de alfabetas, como escribanos resumidores, siendo por eso por lo que os pido que si escribís sobre mí alguna nota en el gran libro, me seáis propicias y tengáis en cuenta que os miro sin haberme acostado cuando aparecéis en los pálidos cielos del alba y me doy cuenta de que sois la lucha de la fe con el escepticismo.

Por ese vigilaros en el amanecer veo a la que más madruga —una sola— y que por eso saborea los más ingenuos insectos que aun vuelan en elipses finísimas desde la oscuridad hacia la primera claridad diurna.

Sé que sois hoces del cielo, que dais cuenta, como segadoras incansables, de las mieses invisibles y cosecháis el trigo azul que será el pan de los poetas.

No sois como los pájaros que huyen como ratones del aire o que van sólo o vuelven sólo, sino que sabéis desistir de ir para volver, revelando que el vuelo es algo más que un caminar fatal como un tiro, resultando ese juego voluntario un arabesco más del arte, el capricho puro.

Parecéis el collar de hierro repujado de la tarde, collar un poco anticuado en el descote celestial, pero que es la joya que la tarde madre dejó a las tardes futuras.

Ya sé que tenéis muchas misiones y entre ellas venir a dar nuevo realce a las fotografías que ya se estaban desluciendo y —aunque las dejáis en su misma fecha porque no se puede hacer nada contra eso— les ponéis renovador marco.

De paso pasáis por los espejos como el aviso de contracanas y algo hacéis para rejuvenecer a los que creen en vosotras, que seréis un día el último mechón negro en sus cabelleras blancas.

La mujer que os quiere tiene mucho ganado para el brillo de los ojos y cuando se pone pendientes de azabache se los pone en recuerdo de las golondrinas muertas.

En la tormenta os volvéis más pequeñas y, sin embargo, me gusta ver cómo os burláis y desafiáis los nubarrones y no os amedrenta el viento negro que los presagia y nadáis a contrapelo de él haciéndoos las apuradas y las tambaleantes.

Os gusta jugar bajo el agua oscura y suspendida de la tormenta como si fueseis los patos de ese lago proceloso e improvisado. Sabéis la hora exacta en que estallará el turbión, y mientras hacéis la plancha de altura.

Os confieso que me quitáis el miedo a la tempestad cuando os veo colgadas de la gris claraboya como un escapulario.

Sólo cuando las nubes, impulsadas por más fuerte viento, son como el avance de un ejército y suena el primer cañonazo, corréis a avisar el peligro.

Sólo os asustan los días friolentos y os sobrecogéis con una sensación que nos es familiar, porque hay un chucho

de frío en nuestro corazón —que es como el escalofrío
de la golondrina interior—. Por eso, después del día que
salió otoñal en medio del verano, no jugáis en tres días.

Sois las mismas y nosotros casi los mismos, compro-
bación que nos da entereza, porque sólo al hallar la identidad del mundo nos herirá el tiempo con más suavidad
y no como cuerno que escarba en la herida.

Existen las circunstancias, ya lo sabemos, pero no son
nada en la gran verdad del mundo hilada de golondrinas, sellada de golondrinas y estampada de golondrinas.

Lo importante es volveros a ver volver y tener la clara
conciencia de siempre, sin ningún objeto robado ni ningún crimen atravesados en el alma.

Sois algo así como la inspección divina del mundo,
su sacramento de esperanza, y venís a justificar que lo
que hay que tener es serenidad, ideas altas e incontami-
nadas, resignación alegre —lo más olvidado de lo olvidado— y que los pensamientos deben circular en corona
o coronación de ellos mismos.

Sois permanentes y, sin embargo, no tenéis pedante-
ría. Por eso os escribo con dedicada fe y no me creáis
de tan distinta especie que vosotras, porque el hombre
es golondrina por las puntas de su chaleco, y más si el
chaleco es blanco.

No me olvidéis y cuando en el otoño os reunáis antes
de partir a otros climas cordiales —hemos estado rom-
piendo cartas toda la tarde—, pensad volver; pues, como
siempre, el año que viene nos seréis más necesarias que
éste.

Con mis saludos a Bécquer, recibid la devoción más
constante de

                                                    *Ramón.*

# IX

## CARTA DEL NOVENO AÑO

Queridas golondrinas:

De quienes sois principales maestras es de los adolescentes, mejor dicho, de la adolescencia de la vida.

Os descifro al escribiros para consuelo de los adolescentes, pues sois lo único que aclara sus vidas.

Como os repetís vosotras se repiten ellos.

Todos los años no es lo que importa que haya una nueva generación de niños o de jóvenes, sino una nueva generación de adolescentes, ya que eso es lo que da a la vida de nuevo toda su apetencia, toda su turbación y todos sus engaños e ilusiones.

Vosotras venís a encararos con los adolescentes, a encarar su censo.

Venís a aconsejarles paciencia, que es lo que menos comprenden y más necesitan.

La impaciencia es el único tormento de la vida normal, y los adolescentes están llenos de impaciencia, que es dolor de alma, agujetas en la carne del alma.

No comprenden que tienen que veros llegar y veros ir muchas veces hasta que realicen lo que esperan, pero vosotras alisáis esa inquietud de sus cabellos desesperados.

El peine de vuestros vuelos pasando y repasando el enredijo de su pelo consigue algo de ellos, que no quieren atender ningún consejo.

No os pueden desobedecer y desoír, porque tienen que veros y seguiros en las plazas en que se sientan con sus amigos o con sus novias.

No comprenden que la mayor curiosidad de la vida, lo que tiene de más interesante argumento, es esperar a saciarla, ganar tiempo al tiempo para no tener la solución ni fu ni fa de la realización.

En último caso no saben que por muy adolescentes que sean, si se empeñan en mal hora en tener todo lo que les está permitido, lo tendrán que sostener y poderlo pagar, y ahí está la gran contención de las cosas, lo que las alarga en la ilusión.

Tienen que saberlo. Vosotras se lo repetís incansablemente. Tienen que jugar y esperar. Por eso el billar es su mejor entretenimiento, con lo que tiene de semejanza a vuestros giros y corridas inútiles.

¿Quizá a lo que venís precisamente al mundo es a sugestionar adolescencias adelantándoles sabiduría?

Es la única lección que aceptan y atienden un poco, pues Dios sabe encontrar los caminos distraídos de lo que se cierra a piedra y lodo o de la única falla exquisita de lo humano, que es la adolescencia.

Queréis hacerles que sepan esperar en los bancos públicos viendo pasar a esos ángeles maduros y un poco hemipléjicos que cuidan los jardines de las plazas con faroles y estatua.

Vosotras les reveláis que sois el cuaderno libre con toda la tabla de multiplicar dedicada a la zarabanda.

Sólo vuestra explicación les puede servir porque nadie sabe hablar a la adolescencia, ya que los que la molestan la llenan de ideas prohibitivas e insoportables, volviéndola más ciega y congestiva.

Hay que hacer saber —como sólo vosotras sabéis hacerlo saber— que se tiene el derecho de dominar durante una temporada un pedazo de muerte viva, una tregua ideal, un trozo de tiempo, que lo maestro es hacer que vaya lo más lentamente que sea posible.

Los adolescentes no comprenden aún vuestro encanto ni vuestros adagios un tanto tristes, pero os miran y os miran atisbando vuestro sentido de tregua y comedimiento, vuestro contentaros con poco jugando a desatar el lazo de las cintas de la pandereta del aire.

—¿Es que vamos a jugar a tan poco? —se dicen los novios, que apenas hablan con los libros bajo el brazo.

Ellas pueden decir más y contestan:

—Quizá es lo más que se puede lograr, jugar con felicidad un día de vacaciones, tropezando con los árboles y con los transeúntes serios.

Desde luego sospechan que es como el solfeo, que es tan largo, tan ingrato, pero que un día recordarán como aquello en que más descansaron de lo problemático y lo único que compuso vida sobre vida, sin otro ingrediente que echase a perder esa insistencia mostrenca. ¡Solfeo inolvidable de las golondrinas!

Sabéis que os corresponde este paralelismo de la adolescencia, que quiere andar en barca sin tener barca ni lago y que quiere practicar aeromodelismo dando vueltas en la boca a una gomita arrancada al último paquete de objetos de escritorio que han comprado.

Cuando salí de la adolescencia y miré atrás os vi atreguando a otros jóvenes cansados de haber llegado con sus bártulos al jardín público y comprendí como nunca vuestra labor apaciguadora con los jóvenes encerrados en el laberinto de colegio, hogar y jardín.

Es un momento muy peligroso de la vida que vosotras comprendéis, porque el hombre en cierne comprende como nunca que los límites de la vida son muy pequeños y se queda más ceñudo que si tuviese noventa años.

Entonces vosotras os decís «¡duro y a volar!» y con un brujismo infantil, menudo y frenético, redobláis vuestros ejercicios distrayentes para que cuando vuelvan a su casa al anochecido no vuelvan suicidas.

Han leído, sin saber leer, vuestra lectura amena, resarcidora y optimista, y al cabo de miraros tanto han pescado vuestra lección.

Cuando vuelven de veros, los padres están muy preocupados con el fenómeno misterioso de la adolescencia y no saben a quién agradecer que el adolescente vuelva con latido y cordura de nuevo al apetito y a la sonrisa.

Mejor es que no sepan los padres ni una palabra de vuestra influencia, porque si lo supiesen aconsejarían a sus hijos mucha golondrinada y lo estropearían todo, pues rechazarían la médicina con repugnancia y no os volverían a mirar.

Queridas golondrinas, ya veis que os sigo en vuestras lecciones y que sé sigilosamente que sois las enhebradoras del joven a la vida y pasáis el hilo por su aguja para que no se malogre, evitando la hemofilia de la adolescencia.

Abrazos con gratitud y afecto de

*Ramón.*

P. D.—Recuerdos a Bécquer.

# X

## CARTA DEL DÉCIMO AÑO

Mis queridas golondrinas:

No importa que el mundo esté en guerra o pacificado, vosotras sois las mismas y hoy las de aquí me evocan a las de allá.

Mostráis que el cielo es lámina sobre la que pensar, sobre la que escribir, papel eterno para el pensamiento.

Mientras flotéis vosotras en el azul es que flotamos nosotros a salvo de naufragios, tirantes de la profundidad de la tierra.

Peináis y hacéis tirabuzones al aire como peluqueras románticas.

Sois como números escapados de un gran premio que hay muchos que no saben que les ha tocado, el premio de vivir diciendo: «¡Golondrinas!», y viéndolas como participación afortunada.

Cuando os miro pienso que yo no debería dormir para amar más y mejor, para saber si me olvidan en el pozo posible de la infidelidad. Vosotras me enseñáis a velar, distinguiendo lo que pasa aquí abajo, jugándoos el mal pensamiento, distrayéndoos gratuitamente con gritos de alegría.

No tenéis misión de aves o pájaros y sois más bien amanuenses en vacaciones que copian la poesía del gran poeta, como pendolistas consumadas poniendo vuestra viñeta entre soneto y soneto del cielo, sonetos nubes que pasan como en un recital.

«El día no tiene historia» silabeáis con vuestros pitidos y vuestros vuelos.

Yo os escucho como si escribieseis una serie de pensamientos, unos más cortos que otros, todos felices y suspicaces.

La golondrinada es un ratimago del pensamiento sideral entre las hortensias celestes.

Corregís las erratas de nuestras ideas y sobre todo no queréis que pensemos en cuentas ni en trajes viejos ni nuevos.

Desenredáis en lo alto los hilos enredados de la ideación y nos hacéis pensar en un regato en que flotan unos palitroques.

No jugáis a manifestaciones políticas, sino simple e inocentemente al escondite en masa, a gritar y correr como en un bautizo o una boda.

Mientras os escribo mis cartas pienso en cómo incendiáis la preocupación, quemándole la melena con vuestros zigzags.

Las mujeres que pudimos amar, mucho más que las que amamos, están en el cielo de vuestros *ballets*, y lo que escribimos para vosotras es también para que lo lean ellas, que por donde voláis están curadas de su antigua parálisis y aprovechan vuestra correspondencia para oir otra vez lectura de cartas.

«¡Si nos dieseis el sello de correos que traen vuestras cartas!» os piden, ansiosas de esa comunión con lo epistolar.

Vuestro pico es dadivoso y da sobres de las muchas cartas de las miradas de los que aún viven. Después de leerlas, dadles también las cartas.

Ellas ven golondrinas en vuelo en el cielo de abajo, como nosotros las vemos —os vemos— en los cielos de arriba.

Desde la piscina de nuestro baño os vemos como juzgando nuestros saltos en el trampolín de lo imaginado. Sois como nuestras bañeras del cielo, que nos ayudáis a nadar hacia arriba.

Sois libres en un cielo siempre nuevo y no hay una arruga que tengáis que desarrugar.

Os agradecen los recados que traéis de las niñas de luto, solitarias en los pisos sextos, y sabéis de la belleza de los rincones que tienen alma de nidal de golondrinas.

Cuando suena el teléfono mientras os miro volar, lo tomo en la mano como si fuese golondrina eléctrica atada al cordón por una pata. ¿Vais a hablar vosotras? No. Es una golondrina lejana y con descote de mujer.

Coloreáis el mapa feliz del día y aconsejáis boda antes que la niña tenga tantas vueltas de golondrina como la madre, que ya parece un carrete negro.

Nos ayudáis con vuestro mensaje a que lleguemos a la tarde perfecta, sabiendo estar a vuestra altura sobre las cosas, aprovechándonos del tiempo antes de que llegue, preguntando por vosotras el lacayo con golondrinas.

Si supiésemos sumaros y multiplicaros, podríamos hacer un cálculo del porvenir, pero sois tan rápidas en vuestra matemática, que no se pueden retener las que llevamos y las que son la nueva cifra.

Pensando en vosotras, vemos lo bien que le sienta a la novia ese pasacintas negro en el traje de gasa, como sombra con gracia de golondrinas.

Nos avisáis para que sucedan las cosas pronto, abandonando la idea de empapelar la casa, pues sois el empapelado ideal de los cielos rasos.

Bendecís las arquitecturas nuevas porque sois las únicas que sabéis arquitectura comparada, y dibujáis en el cielo los planos de las ciudades futuras con los tiralíneas y compases de vuestras alas.

Veo que os bañáis un instante en el agua como la mano que sólo roza el agua bendita, y después persignáis el cielo.

Abrís abanicos de lentejuelas y los cerráis con rápida acción, como diciendo algo ingenioso detrás de ellos.

Bordáis el cielo con bordado testamentario, lo único que queda del recuerdo del día. El pergamino en que se asegura que fue nuestro cielo por un día.

Borráis en ese mismo cielo, con vuestro agudo raspador, recuerdos ya inútiles de aquellas románticas que os miraron desde sus ligas de oro, y encauzáis el pensamiento de quienes os miran desde las mecedoras de ojos abiertos.

Os he leído mucho y por vosotras se me volvió el mundo modesto y comprensivo. Comprendí, después de mirar vuestras alabanzas a Alá, escritas en negros caracteres árabes, que el zurcido manto de mi abuela estaba bien y que cuando preparaba «ropa vieja» para cenar es que aprovechaba guisos de la mañana. Vosotras hacíais que me resignase, porque el sentido de la vida es de resignación y de estar repitiendo siempre la misma oración.

—¿Y qué has estado haciendo toda la tarde?

—Leyendo golondrinas. Para eso tengo vacaciones.

Cuando os tiráis hacia abajo, parece que vais a sondar abismos, y os afiláis tanto en el aire que hay ratos en que sólo se os ve el filo.

Al salir del rincón de vuestro nido parece que se os enredan las alas, pero en seguida enderezáis vuestro vuelo y jugáis a los toboganes reunidos y subís veinte tramos para bajar en seguida treinta.

Ya sé que os gustan los balaustres de balcón, que son vuestras liras para cantar ausencias y presencias, viendo verjas detrás de las que no os tocó estar y que serán hierro perenne que verán vuestros hijos.

Como nadie se atrevió nunca a comer golondrinas, os ve el mundo con desinterés y delectación.

Adiós una vez más, queridas golondrinas.

*Ramón.*

P. D.—Recuerdos a Bécquer.

# XI

## CARTA DEL UNDÉCIMO AÑO

Queridas golondrinas de la viuda:

Ya sé que os habéis quedado consternadas al ver que el que ganó por suerte en el gran sorteo de la vida los misterios de la muy hermosa, ya no os esperaba al balcón junto a ella.

La habéis visto sola, no sabiendo qué peinado hacerse, porque ninguno resulta lo bastante de luto para su pálida y esplendente belleza.

Así llevaba meses cuando habéis llegado y estaba triste por él, pues para él solo, en singular, ya no volverán las golondrinas que volverían a colgar sus nidos del balcón de los dos.

Él era un poco anticuado y había de morir antes que ella porque le llevaba muchos años y tenía un bigote de aquellos con guías, que parecían golondrinas retenidas entre nariz y labio.

La viuda os esperaba —la he visto esperaros durante largos días— porque su luto era descolorido sin aplicarle el color permanente que lleváis encima.

Hacedle un traje de tela de golondrinas, de boda de la viudez, adornado con azabaches de vuestros ojos, vivo de poder seguir viviendo aún en el duelo.

Sólo vosotras podéis hacer que una viuda viva el noviazgo de su viudez con el que la dejó viuda, otra manera de ser novia con secretos encantos.

Profesoras de piano para su viudez, que siente el recuerdo y no lo puede perder.

Aconsejadoras de la viuda que quiere revivir su amor, basta con que traigáis el recuerdo de cuando él vivía, y yo sospecho que sabéis hacer los mismos giros como si revisaseis la partitura de aquel año, como quienes rebuscan un vals antiguo entre sus papeles.

Ella sabe, en un pentagrama que se siguió con los ojos mientras otro tocaba, la gradación de las notas, lo que van diciendo y lo que van a decir hasta que vuelva la página.

En ese momento de giros bajos, cuando parecéis recoger un anillo que se os ha caído o queréis asustar a esa señora con un sombrero con pájaros —que quieren volar hacia vosotras—, él sintió el impulso de abrazarla como si imitaseis el abrazo con la curva de vuestro vuelo, la vuelta loca en el vals que tocaba vuestro vuelo. ¡No olvidará ella nunca aquel momento!

La viuda es vuestra hermana y ya vive sola para los vuelos del pensamiento, y volveréis con su recuerdo vivo siempre que volváis.

Alguien os va a esperar en el andén de la primavera, como si trajeseis la corona primera que pusisteis sobre el bienestar del amor una tarde de asomados.

No hubo momentos más puros en este matrimonio roto más que cuando vosotras alargasteis el tiempo y ensanchasteis el solar en que iban edificando su casa futura, de la que dibujabais el plano con sus terrazas.

Creían tener golondrinas de sobra para pintarlas en el cielo raso de la sala y de la alcoba, pero la mayor ruina es que él se quedó sin vosotras, y quedarse sin vosotras es el desiderátum.

Heredera de golondrinas, ella tiene esa renta que vosotras no podéis dejar de pagar puntualmente animando su broche del cuello, donde ella lleva su miniatura con el del bigote golondrinesco.

Y sólo puede ser recordado el diálogo imposible gracias a vosotras.

—Mira, se han ido para dejarnos hablar. Para que oigas mi «te quiero» sin silbidos.

—Después de cinco años de matrimonio, bien nos pueden dejar solos.

—Pero es como si nos quitasen los niños.

—O como si se hubiese callado un violín.

—¿No te parece que arrastran los malos augurios y los llevan a enterrar lejos?

—De algo nos salvan, de algo que venía por nosotros.

—La lombriz negra.

Reconstruye ella todas las trivialidades del diálogo bajo la sombrilla de la tarde, gracias a vosotras.

Como yo he asistido al primer idilio de la pareja descabalada, por eso insisto en que cuidéis a la viuda.

Enemigo de mudanzas, bien sabéis que estoy mucho tiempo en las casas y me acuerdo cómo comenzaron esos amores de mi vecindad, cuando él era una visita de las tardes en la casa que entonces estaba a nombre de la madre.

Vosotras también os acordaréis, porque os transmitís todas las memorias de vuestra vida.

Resultáis las madrinas de esa boda.

Recuerdo cómo precipitasteis la boda.

Era una tarde como la de hoy.

El noviazgo era largo y era un drama la despedida de todos los días, pero ésa tarde, que recuerdo como si la estuviese volviendo a vivir, oí un guirigay más violento y resuelto que el de siempre, promovido por vosotras, que hicisteis un ovillo sobre los novios.

Ellos se reían y se metían dentro como si os tuviesen miedo, y al volver a salir vosotras volvíais a tarabillear sobre ellos, encarreteándolos con vuestros vuelos.

Yo comprendí lo que queríais decir: «Casaos.» «No perdáis más tiempo.» «¡Pronto! ¡Pronto!»

Y fue decisiva vuestra intervención, porque a los dos meses se casaban, por fin, y todos los vecinos respiramos al verlos asomarse, ya unidos para siempre, en sencillo traje de casa ella, él también de confianza, ya sin despedida final, siéndoos infieles con las estrellas, pues también se asomaban de noche cuando descansabais en vuestros nidos.

Cuidad, por todo eso, de la viudita, venidla a ver y si podéis volver a imitar aquel revuelo que marcó su destino, quizá sonría por primera vez después de su luto.

Afectuosamente vuestro

*Ramón.*

P. D.—Recuerdos a Bécquer.

## XII

## CARTA DEL DUODÉCIMO AÑO

Amadísimas mías:

He observado que entre vosotras han aparecido unas
cuantas golondrinas exóticas, arrancadas a los biombos
que han fracasado con sus pájaros, sus samurais y sus
flores desprendidas a sus fondos de la laca abrillantada.
Ya era sintomático que siempre se despegasen algunos
elementos del biombo y guardábamos en los cajones alas
y picos y cabezas para restaurarlos.

No echo en el olvido a las golondrinas arborícolas ni
a las de los graneros, aunque yo me dirijo principalmen-
te a vosotras, las de la ciudad, las de los balcones, las
de las cornisas y las de los tejados.

Las que anidan en los árboles son ya como pájaros
corrientes, aunque más confidenciales que los otros, y
saben lo que piensan los pinos con su coliflorada umbe-
la como masa encefálica verde.

No puedo abandonar la idea de vuestra universali-
dad, viniendo de los más remotos confines para volveros
a ver.

Vuestra misión es muy importante para no ser una abstracción por encima de todo, pues sois el testigo más próximo entre el empíreo y nosotros, lo que nos escucha y debe llevar al cielo nuestra oración diferente a las de los devocionarios y esperar contestación como si fueseis los más fieles mandaderos.

Sois las serenas golondrinas que poseéis para cada pareja cien kilómetros cuadrados, y las de Toledo tienen capellán y los clavos de la puerta de la catedral —remachadas golondrinas de hace muchos siglos—; siempre tenéis la espontaneidad suprema.

Asomadas a vuestra ménsula o a la arista de la cornisa —nariz de panteón—, elegís las cuatro ramitas de la punta del pararrayos, orgullosas de estar posadas donde sólo se posa el rayo mientras muere y tentáis a esa ramita de platino con el deseo de volar también.

Rápidas en escribir el largo poema de la tarde, escribís una letra gótica con firuletes de capitular de misal.

Todo pasa menos vosotras, que ya en la antigüedad homérica merecisteis un festivo «Khelidhonisma», canto primaveral a la golondrina, que decía así:

> *Golondrina mía veloz.*
> *Golondrina mía veloz*
> *que has llegado del desierto,*
> *¿qué regalos has traído?*
> *La salud y la alegría,*
> *y la rosada aurora.*

Desde entonces ¡cuánto ha llovido! Pero aquí estáis, eslabonando de nuevo los anillos separados entre dos épocas de paz, jugando al «aquí no ha pasado nada».

Siempre habéis sido consoladoras en los malos momentos, y quiero recordar en vuestro honor los versos que os dedicó Lamartine cuando, desterrado en Suiza, se despide de la señorita de la casa que le dio hospitalidad y en cuyo álbum escribió:

## LA GOLONDRINA

### (A la señorita de Vincy)

*¿Por qué huirme, pasajera golondrina?*
*Ven a reposar tu ala cerca de mí.*
*¿Por qué huirme? Es un corazón que te llama.*
*¿No soy yo viajero como tú?*
*En este desierto el destino nos reúne,*
*no temas anidar cerca de mí.*
*Si tú quieres, gemiremos juntos.*
*¿No estoy yo aislado como tú?*
*Quizá del techo que te vio nacer*
*una suerte cruel te echó igual que a mí.*
*Ven y abrígate en el hueco de mi ventana.*
*¿No estoy yo desterrado como tú?*
*¿Necesitas lana para dar calor*
*a tus pequeños cerca de mí?*
*Yo calentaré tu nido con mi aliento.*
*¿No he visto a mi madre como tú?*
*¿Ves tú allá abajo, en la ribera de Francia,*
*ese umbral amado que se abre para mí?*
*Ve y lleva el ramo de esperanza.*
*¿No soy yo un pájaro como tú?*

*¡Ah! ¡No me quejo! Si la tiranía*
*de mi país cierra sus puertas para mí,*
*para encontrar la libertad bendita,*
*¿no tenemos nuestro cielo como tú?*

Pero el caso es que estáis aquí y sois la alegría de la primavera, al mismo tiempo que la recordación, con signos negros y escuetos, de la esquela de defunción del invierno.

Habéis conocido el ángulo del alero en que está vuestro nido, por unas piedrecitas que quedaron en él como señal.

Unir dos vacaciones en climas cordiales es el ideal, pero ése no es ningún pecado y más cuando la armonía natural lo consiente y os creó para eso.

Vuestra cabeza aplastada y pelinegra —como peinada con brillantina— tiene unas cuantas ideas elementales, pero la máxima de todas es la idea de la pervivencia.

En vuestros nidos sin puerta, pero entornados, empolláis la nueva generación con toda clase de precauciones, sin poderos dedicar por completo al juego libre de la tarde porque no habéis cumplido vuestra misión hasta que no empujáis la cría a su primer vuelo.

Ahora os turnáis en la garita, como dándoos el santo y seña en ese relevo materno-paternal que hace que me miréis a mí desconfiadas y vivoreznas, como si yo estuviese al acecho de vuestras ausencias o vuestros descuidos en el observatorio de golondrinas de mi terraza.

Me gusta contemplar vuestros engaños al entrar en el nido apuntando para otro sitio, despistándome para al fin embocar la entrada, entrando como una exhalación en vuestro camerino, donde dejáis de ser golondrinas para ser señoras hogareñas sin armario de luna ni velador.

Lo importante es que volváis. Mientras vivamos, volvéis. Aquel poeta que os hizo ausentes y que supuso que no erais las mismas las volvedoras, era un poeta melancólico que sabía que iba a morir joven de tos perniciosa.

Volvéis. El mundo es igual. Lo más es que os veamos venir más inapetentes, más dentro de leyes hormiguerales, desde más abajo, más aplastados, con menos ilusiones.

Pasaron esos cruentos años convulsionados en que se pretendió que no hubiese golondrinas en la vida, y por eso este año sois más claras y más evidentes, como testigos archivadores de lo sucedido.

Otra vez sois lo subsanado y lo olvidador, el turismo que no dejó de tener billete de ida y vuelta.

No os distraéis con nada temporario o circunstancial, no os mezquindáis con papeles, y realizáis vuestros vuelos de pasear y vivir empleando sin distracción el tiempo que os ha tocado vivir, y gracias a que os seguimos en vuestras evoluciones, despejamos las sombras pasadas de nuestros ojos.

Acotáis una plazoleta en el cielo de la mañana y allí os ponéis a jugar como balandristas del aire, como deportistas del vuelo; pues, frente a los otros pájaros que simplemente vuelan, vosotras tenéis algo de batidoras de *record*, con ágiles remos para la regata de los barquitos negros que imitáis.

Vuestro vuelo al quiebro es un divertimiento puro, un juego olímpico.

Medias lunas negras, ponéis en el cielo una bordadura oriental. Arroyos de vuelos, creéis que habéis inventado la curva y el desliz rápido, con la misma ingenuidad con que creíamos que habíamos inventado la vuelta a la esquina de la iglesia en pos de aquella novia con blusa blanca y corbata de golondrina.

Subís y bajáis por el tobogán del aire y lo complicáis con montañas rusas imaginarias, imitando a veces el vuelo de la estrella de puntas enloquecidas.

Sois como ganchos del cielo que le unen a la tierra y a veces desgarráis con vuestros guinchos las nubes negras que comenzaban a formarse.

Amáis la mañana y su arroz con pollo, del que sólo os tocan algunos gusanillos, y como tropezón exquisito las mariposuelas que plegáis en el pico y tragáis como libros cerrados, pasando lo que vuela efímeramente a volar menos efímeramente.

Sois los colegiales cuando ya ha acabado el colegio y evocáis las mochilas del colegial porque eran nidos de cuadernos de hule negro como golondrinas, inocentes como golondrinas.

Con vuestras tijeras negras vais recortando las viejas ilustraciones, las figuritas de siempre, un San José, una señorita con sombrilla, un modelo de casa de campo, el Vesubio.

Gracias a vosotras se supera el mundo de nuevo y se comprende que la vida es contemplación de golondrinas, más o menos lograda por entre los intersticios de la ambición ciega.

Resbaláis en el céfiro azul y cuando rozáis las aguas tersas del estanque las plectráis como si una nota musical recorriese la sensibilidad del mundo.

Hay días misteriosos en que no estáis, en que no se sabe dónde habéis ido y se sospecha que se celebran en algún lado congresos de golondrinas; pero al día siguiente volvéis a estar en nuestro cielo, jugando a la sortija invisible con premios importantes.

Frente a los pájaros y aves que se cruzan con vosotras como si obedeciesen a la llamada de una jarcia lejana, vosotras vivís la intimidad de vuestra calle y de vuestro campanario.

Se desenvuelve vuestra alma como un alma privilegiada y libre, con horas de meditación solemne, nadando en cruz abierta ―con vuestro chaleco salvavidas puesto― en la paz resignada de la ancha casa de vecindad.

Conque os mirasen los hombres ―como os miraban antaño―, aprenderían la semejanza intemporal del bien logrado, del desinterés realzado en rueca de golondrinas, comprendiendo la disponibilidad ante Dios y su llamada en que el hombre revuela, haciendo eses y círculos de embriaguez.

Inauguráis una nueva época, aunque para vosotras todas las épocas son iguales y por eso os sobreponéis y nos sobreponéis a toda mezquinería.

Vuelven a vivir sin miedo las esquinas y los balcones y el que fije bien una tarde con las bendiciones de vuestros vuelos, tendrá un cuadro de felicidad que cobrar en su casa del futuro.

La vida es algo más que presupuesto y vueltas en vuelta del presupuesto. Lo mejor de la vida es este entrecomillado de golondrinas que rozan el corazón y sobresaltan el idilio.

Sonriamos ante esta jauría de golondrinas, que persiguen una avispa en torno de las barandas para asustar a un niño.

El día del resumen sólo encontraremos en el fondo de una caja de cartón, en recuerdo de un cotillón pasado, un adorno de golondrinas como paréntesis de un beso que dimos al cielo una tarde color canela en que sonreían las carátulas que hay sobre los marcos de los balcones.

Se alargan vuestras alas en el vuelo y os impregnáis de amanecer y de ocaso, hasta llegar al atardecer más bajeras, con silbidos casi a ras de tierra, como dando el adiós a los soles ponientes; encogiéndoos después en vuestros nidos, pues no queréis que ni por un momento se os confunda con los murciélagos.

En la imprenta del cielo sois el asterisco que separa un día de otro, y cuando os despedís, no dejáis de meditar en la muerte, pues no sois frívolas despreocupadas, ya que hasta enterráis vuestros muertos en el arenal, dando paletadas con un ala al pasar, volando sobre ellos hasta que lográis cubrirlos de arena.

Como veis, yo os comprendo y sé los matices de vuestro vuelo y de vuestra alma, motivo por el cual insisto en recordaros en los nuevos aniversarios, escribiéndoos por avión cartas largas y costosas.

Siempre con recuerdos a Bécquer, quedo de vosotras esperanzado y constante

*Ramón.*

# XIII

## CARTA DEL ÚLTIMO AÑO

Queridas mías:

Vuelvo a sentir la necesidad de escribiros por lo temprano que habéis venido este año.

¿Habéis venido más pronto o es que a mí me lo ha parecido? En mi agenda y como nota de una experiencia pasada tengo apuntado: «juguetea la pareja de golondrinas en la cornisa», y la fecha es posterior.

Además, este año no sólo han venido las primeras al casal de la terraza, sino muchas, en su revuelto revuelo, como danza en el alto espacio de rasgadas cartas de amor entre dos primaveras.

¿Qué presentimiento o qué deseo de refugio significa vuestro adelantado viaje?

Desde luego, tiene vuestra precipitada venida algo de fin de época, de salida de moda de los anticuarios, porque se han puesto muy sensibles ciertas cosas y los andenes suenan muy cerca.

El caso es que mi depósito de cielo está lleno de golondrinas y eso me ha hecho ponerme a escribir esta bienvenida, pues su volver en el buen tiempo siempre merece estos parabienes de primera vez.

«Ya no os escribiré más» se dice uno al enviaros la última carta, pero de pronto ostentáis de nuevo toda la sorpresa de la vacación inicial.

¿Quién ha tirado tantos recortes de borde de traje? La primavera, que se está haciendo una falda de ancho ruedo.

Las tijeras han funcionado en el elevado taller —alta costura—, adelantándose la moda, pues ahora no ha muerto el invierno cuando ya están hechos los trajes de verano.

Tijeras y recortes, avisos de telegramas de flores y anuncio del primer envío de frutas de la sierra, subís las praderas al cielo y sois como un eco de los paisajes que no vemos.

Nidificáis en los embudos del aire y os taraceáis en el azul como incrustaciones tanto bizantinas como surrealistas.

Los que pretendían abstraernos en su petulancia ven que súbitamente nos hemos distraído mirándoos, encontrando en vosotras el signo salvador y exorcista.

En esa mirada con el microscopio de largo alcance —el telescopio os astromizaría— os vemos como los elementos vitales de la salud del mañana, los antimicrobios raudos mantenidos en el caldo azul del cielo.

Nos teñís de ilusiones —aunque ahora no «toma» tanto ese tinte nuestro pelo— y nos animáis a estar dispuestos a quedarnos sin lastre, a tirar por la borda el que nos resta y ascender a las más altas plazoletas.

Cejas de la mañana y de la tarde quisierais quedaros quietas en el cielo, pintadas, inmortales; pero se ve que no podéis, por más que resistáis un vuelo frenado y estático, pues en seguida os entra el temblor de la oscilación.

Habéis enseñado a planear con serenidad a los aviones, pero la inquietud os grita «¡abajo!» o «¡arriba!», y tenéis la coquetería del viraje, del ceñiros a la curva perfecta.

El cielo se adelicia en vosotras y sois como notas de teclas negras o como afinación de violines, mezcla de titiritainas y de melismas. ¿Golondrinas de Chopin o golondrinas de Liszt?

Tenéis algo de prestidigitadoras y aparecéis y desaparecéis a la vista como si hubiese para vosotras misteriosos burladores o invisibles bolsillos en el cielo.

En vuestro variado intríngulis, en la diversidad de vuestro *ballet* jugáis al toro, valsáis, sois partesanas o alabardas que van a herir a un supuesto enemigo, o sois, cuando voláis hacia lo alto, lises en campo de gules.

Siempre la incógnita será si sois las mismas o sois diferentes. Chateaubriand contaba que había visto la misma golondrina en Roma, en El Cairo, en Bélgica. Los románticos creían llevar en el corazón su propia golondrina, como su alado hado, como la familiar cometa que salía volando por la ventana de su hotel cuando abrían sus maletas de alfombra, custodiando y puntuando su destino.

Contra la suposición de Chateaubriand y de los románticos, tengo que decir que es muy difícil reconocer a una golondrina entre las golondrinas, y yo, que mantengo hace tiempo correspondencia con ellas, no podría asegurar que son las mismas estas a las que escribo hoy que aquellas a las que escribí hace años. Algún antecedente deben tener de quien se atrevió a escribirles, pero las ondas de su contestación no traen firma. Por algo son un pájaro Fantomas, vestido todo él de antifaz, huyendo de los «detectives» siempre, mascarita de pico parecido y ojos febriles.

Nadie les quitará la máscara y yo bien sé que siempre las galantearé en vano, no mereciendo más que la bendición de sus huidas.

Quizá alguna vez, si acierto con el piropo esencial, conseguiré que se abra el misterio de su retablo de feria y entre los abanicos desplegados del blanco acertado por la puntería, surja la adornada palabra de su clave.

Ellas dirán, pues yo les escribo con todo desinterés en cartas furtivas sin dirección fija, anónimos orantes, borradores desahuciados, dibujos de letras mientras las veo girandulear en la claraboya abierta del tiempo promesante. ¡Sombra del vuelo de la carta que voló en la maculatura del papel secante del recuerdo!

Mi sistema epistolar para las golondrinas es una alabanza ritual, un óbolo de cepillo de catedral —donde únicamente pudo haber buzón para las golondrinas— en gratitud por como restauran la vidriera rota del invierno, emplomando de esperanzas la vacía contemplación.

Las conmino, las propicio con esta eterna carta de paciente calabaceado que quiere moverlas a una última piedad.

Ellas pueden decir, ellas pueden predecir, ellas pueden musitar una palabra salvadora. Sibilas sibilantes, pueden deslizar al correr de sus chirridos la recomendación que traiga suerte o absolución.

Entretenedoras de la pausa de los rearmes, saben por confidencias entre ellas algo de lo que va a pasar, pues vuelan en disimulados aspavientos sobre los campos en que se preparan las municiones de fórmula desconocida, las que más consternadas las tienen, pues en Hiroshima no quedó ni una golondrina.

Lo que se preguntan en sus vuelos de estos días es si las ráfagas desintegrantes acabarán con todas o quedarán algunas en medio de los vientos envenenados, algunas que renovarán la perpetuidad de la bendición de Dios sobre la tierra.

¿Será por eso por lo que se han venido más temprano, o simplemente por impaciencia de veraneantes que han adelantado el viaje?

El caso es que estáis aquí trazando vuestras letras y vuestros ringorrangos de despreocupación, contentas de esa vuelta del pasado que hay en el presente, pues os habéis encontrado con unas damas vestidas más que nunca a la moda de cuando más apogeo tuvisteis, figurando en los espejos, en los globos de los quinqués y como cenefa decorativa en las faldas de mucho vuelo.

Con vuestra cadena de enganches —anzuelos hacia el pasado y hacia el porvenir— reunís todos los tiempos y sois como ese clip que une el cheque de mañana a la carta de ayer. ¡No lo soltéis! ¡Apretad la grapa volandera!

Claro que al venir tan temprano vais a encontrar abolsadas nubes de agua, pero también vais a encontrar muchas nubes de tiritaña, a las que pondréis jaretón, alegrándolas con el pasacintas de vuestro vuelo.

Desencadenad más vuestra alegría y seguid dándonos ese espectáculo tan bonito de correr como a echaros en brazos de alguien.

Y ahora, perdonad que repita una cosa en esta nueva carta, los indefectibles recuerdos a Gustavo Adolfo, a la par que para vosotras van las más cordiales miradas de

*Ramón.*

# CARTAS A MÍ MISMO

# ADVERTENCIA PRELIMINAR

La gran soledad del presente me hizo comenzar en América esta correspondencia conmigo mismo, que ha durado unos años, con dos o tres cartas por año.

Son cartas universales, en que se ve dislacerarse y retorcerse la anatomía del alma, pero a las que no he consentido que encanije nada circunstancial o mezquino de fechas o nombres.

En un mundo ensombrecido y sin correspondencia, estas cartas aseguraron la entrada de algún sobre en el buzón de mi puerta, cuando yo estaba lleno de inquietante hambre.

Al escribir estas cartas me encontré con que al escribirse uno a sí mismo se escribe a un hombre más joven que uno mismo, y al que, además, hay que suponerle dueño de un chalet en el campo.

También al hacer esta experiencia me he encontrado con que la sinceridad tiene un límite, un valladar, un desesperado horizonte visible y tangible.

Quizá ha habido alguien que se ha escrito a sí mismo, pero como un procedimiento retórico, dándose importancia doctoral o filosófica, apelando al seudónimo.

De lo que sí dudo es que nadie lo haya intentado tan desgarradoramente, con esta sinceridad desplanchada, estilo fosa común, estilo emigrante sin nadie en el mundo, pero sin dejar de ser el conservador escondido de las supervivencias esenciales, fiel a los principios eternos, mientras los demás se van enterrando en la arena de sus dudas.

R. G. S.

Querido Ramón:

Hoy es el mismo día de siempre, pues el mundo no tiene más que un solo día, que se repite y se repetirá hasta el final del mundo. Lo que hace diferente a este único día son los pensamientos, los hechos político-guerreros, los sucesos policiales.

Tú estás en el campo obligatoriamente y yo estoy en la ciudad voluntariamente. Así está mandado por las autoridades bipartitas, y hay que conformarse, entre otras cosas, porque sólo por eso y gracias a esa división en dos puede haber correspondencia entre nosotros.

Tu valle tiene la tristeza de la pampa, y para más desolación sólo se encara contigo el cactus de tamaño humano, que es el contemplador de las desolaciones.

La mitad de uno mismo, queramos o no queramos, está aislada, frente a los horizontes que nos encierran, más que las cuatro paredes distendidas por la luz artificial.

Yo sé, gracias a ti, cómo me rodea la Naturaleza y cómo me espera cuando sea canto rodado o escarabajo.

No creas que no sé que tengo que ir a ese valle final, donde no hay nadie y ni se oye el pitido del tren.

Pero aún me defiendo aquí, pagando a duras penas alquiler, comida y luz.

En cuanto pierda el equilibrio y me caiga hacia atrás en la butaca en que escribo ya sé que apareceré en ese valle solitario, lleno de crepúsculo todo el día.

Quiero retardar ese suceso y por eso tomo medicinas, tomo el sol en un patizuelo y tomo lecciones de lenguaje para hablar con la nada del trayecto mientras llego al sitio en que no se necesitan palabras y se es elocuente como la luz.

Lagarteo y lagartearé mucho antes de llegar a ese valle final; pero yo ya sé que estoy en camino —lo estuve desde que nací—; pero todo va despacio, como las cosas de Palacio.

Las imágenes me distraen para que no pueda lograr encontrar la no imagen, que es la imagen verdadera.

No vale ir a ningún consulado para que nos despachen pasaporte para la no imagen, porque en los consulados no despachan salvoconductos para otros sitios lejanos; y lo que yo necesito es un pasaporte para las montañas artificiales que hay en esta ciudad, con derecho a que me agranden las montuosidades del corcho para estar, más que en ningún sitio, en medio de la agrietada corteza terrestre.

Sé que he perdido el tiempo y lo sigo perdiendo por no poder dar con el universo de la no imagen y meterlo en imágenes compensadoras de huesos enternecidos, de arpas pulmonares, de descanso del miedo.

Alguna vez por los pasillos me acerqué a esa posibilidad de consuelo, pero no atrapé el trineo que pasaba por ellos.

La no imagen la alcanzaríamos metiendo la mano en los armarios oscuros a las cuatro y media de la mañana, pero sin abrir sus puertas, sacando los sostenedores de la ropa convertidos en salvavidas para la caída del vuelo hacia arriba.

Creerás que divago, hermano, pero no estás en lo cierto. No divago, sino que intento aproximarme, tomar por los cuernos a la cornucopia que escapa, asirme en el terremoto.

Está próxima a despertarse la ciudad, a engañarse otra vez, a no saber que el no pensamiento es lo único que salva del torrente que nos quiere empujar a la catástrofe, y de la catarata a la cascada, y de la cascada al mar.

El no pensamiento y la no imagen suponen la no carta, y por eso, por ver si te escribo mejor la próxima, se despide y te abraza.

*Ramón.*

Mi familiar Ramón:

Llaman a la puerta sin saber quién es.

Cuando había puesto el encabezamiento de esta carta sucedió eso.

Es un misterio que sólo me decido a contártelo a ti. No voy a ir a casa de un psicoanalista a contárselo ni me fío de otros amigos, que se lo podrían contar en reserva al doctor suspicaz.

Este llamar a la puerta y no saber quién es resulta un síntoma de la vida y la edad. Es el más discreto y disimulado llamamiento, y por eso ya estoy sobre aviso.

Por lo demás, y fuera de ese síntoma, las cosas van bien, aunque me asombra mucho que gentes en plena madurez estén tan descuidadas y no oigan a su conciencia, siendo benévolos con los avaros, con los que cometen injusticia, con esa calaña de gentes que no ocultan su pecado de protervia.

Claro que si se tiene el valor de no perdonar a los no arrepentidos de nada se corre el riesgo de no ver a nadie, y la gente quiere verse, como si pudiese soportar mejor su propio vacío gracias a esa suma cacareante de vacíos.

Ayer estuve en una cena amable con las dos o tres personas que yo admito al semestre y hablamos cordial-

mente; pero más allá de los balcones y de la puerta
del piso todo era silencio, sordo rumor, ciegas opiniones, mala ralea.

¿Estaban dispuestos mis amigos a reconocer al día siguiente ese monstruoso empedernimiento de ese más allá
que nos cercaba o pactarían con él como si tal cosa?

Ésa es la tristeza de una cena entre los más escogidos,
que ni aun en ese caso se cuenta con que sientan la
irresistibilidad de los pobladores cómodos de la ciudad.

Creen en Dios y no piensan que tendrán que dar cuenta de sus convivencias a ese Dios en que creen. Más
que de los pecados propios y de las opiniones más o
menos ingenuas de los que son regulares, habrá que dar
cuenta de las complicidades con la llamada amistad,
porque ése es el lazo más captador y de peores condiciones que hay en el mundo.

No pudiendo dormir con estos pensamientos, me le-
vanté a deshora, y lo que mejor me impresionó es que
mis cosas vivían como en su hora, fijas en su aspecto,
en su doctrina, en la supervivencia de su forma y de su
brillo.

La moral de lo inmóvil es una lección que recrea el
alma y aconseja rectitud en la forma en que nosotros
dos la practicamos siempre.

Y no se hable de que eso lo sugieren sólo las cosas
bonitas, sino cualquier cosa: una silla, el leño que se
salvó al martirio ayer y está dispuesto a sufrirlo hoy,
la chimenea en que están nuestras cenizas, las cenizas de nuestro ayer desarropadas de su forma humana, extinguidas como un recuerdo que ya no podemos recordar, por que lo que es la vida que se perdió
en sí, tal como fue, por debajo de los pensamientos y

los sentimientos anotados en la memoria y las noticias, está perdida y es irrecordable; es como las cenizas, que no tienen recuerdos y son la canosidad de lo que fue, el olvido sumo.

De todos modos espero con Fe en lo que queda, en la hermandad con las cosas y con el tiempo, mano de mármol entre mis manos de carne, cita conmigo unas horas más tarde, si es que puedo acudir a la cita o no puedo por causa de fuerza mayor.

Llegamos, en definitiva, nada más que adonde pueda llegar una carta, que ya es una suerte que no quede interrumpida.

Con la alegría de haber podido acabar esta carta te abraza

*Ramón.*

Mi querido Ramoncito:

Discúlpame que te llame con diminutivo; pero me temo que tú comiences a ser un jovencito —tú, el que vas a quedar como destinatario de esta carta, que un día será pública— y yo voy a comenzar a ser más viejo, todo lo viejo que se puede llegar a ser en el más allá flotante.

«Diminutivo y con pesimismos floridos —te dirás—, mala cosa.»

Siento demasiado el ruido de la circulación interior para no ponerme un poco irónico y suspicaz.

Afortunadamente no digo las clásicas campanas, ni gritos en la isla, sino un pitido de apagada radio, aquel zumbido —no tan grave— que oíamos en los palos del telégrafo cuando salíamos al campo.

Aquella tensión eléctrica de los telegramas sociales, dando un runruneo a la madera del poste, es lo que yo siento ahora en la cabeza por la presión arterial.

Ayer fue peor; ayer oí esa circulación violenta de la sangre como el ruido de batanes que le chocó a Don Quijote en una noche de su novela, pero tomé tantas disposiciones medicinales que hoy sólo me queda el

alámbrico sonsonete. ¿Cuál es el texto del largo tele-
grama? No lo sé.

El caso es que estoy así y que hacía mucho tiempo
que no tenía un rato libre para escribirte.

¿Un mes? ¿Dos? Quizá tres, y mientras escribiendo
cartas a otros y llenando los correos de incumbencias.

Es increíble, pero ésta es la vida. No poder escribir
a quien más quiere uno, escribir para sincerarse, para
llegar a las mayores confidencias, para repasar la vida
que se vive a ciegas.

El tiempo que pasa —este ruidito— puede ser conti-
nuable o terminal, vísperas del cesar, displicencia del
no cesar en muchos años, un síntoma reversible de la
edad o sea que puede arreglarse pasadas las meno-
pausias.

Bueno, el caso es que aún están encendidas las lámparas y quemo mi vida a la par que se queman ellas
—una bombilla fundida cada veinticinco días—, pero
es alegre el cuarto con tanta luz.

«¿Cómo vas a pagar la luz?» —pregunta mi mujer—;
y yo respondo: «Siempre tuve mucha luz y siempre la
pagué hasta hoy.»

Por lo menos, mi noche ha sido muy luminosa durante sesenta años y ha sido todo lo larga que ha querido.

Lo malo es que mi obra no es la que yo hubiera
querido escribir, metiéndome más en los laberintos del
alma para salir a los laberintos de la vida y acabar en
los laberintos del cielo.

Esta noche —cuando te escribo es que es una noche
que se las trae— estoy desesperado porque hay que escribir biografías y biografías: es el encargo que abunda.

y así perdemos nuestra existencia, ocupándonos de los otros en el pasado y el presente.

Claro que meto historia propia, ayes propios, matices y vericuetos propios en esas biografías; pero siempre es «de otro» de quien trato y, además, a conciencia, porque mi empeño es no mentir: es que si algún día me encuentro con el biografiado —alguna vez todos nos hemos de encontrar— no me reclame la verdad que no dije y me desafíe por las mentiras que llegué a decir.

El escritor acaba reconstruyendo clásicos, filósofos, hasta periodistas, con una labor de desenterrador a la que no puede negarse, porque si no desentierra se entierra a sí mismo en el hambre y la muerte.

Toda la fantasía, la audacia creativa, la posibilidad de decir están en mi mano —han estado en mi mano como una transmisión del más allá al más acá— y casi no he podido decir nada de la gran perdición en que vive el hombre, el hombre perdido desde que apareció en el mundo hasta nuestros días y hasta el último día de los días.

No he dicho nada, no he podido decir nada, aunque sólo me disculpe el que de nada habría servido decirles más a los que no he dicho nada.

Lograr decir lo indecible es ser como secretario de Dios y entrar por los caminos inexplorados de lo inaudito.

Alguna vez logré salir a esas afueras; pero me llamaron desde casa, me llamó ese que se llama el deber, y que no es el deber, sino una cosa circunstancial, que por una última vergüenza hacemos, añadiendo un poco de locura a la labor obligada.

¿Pero y el campo lleno de estrellas bajas, con comunicaciones entre unas y otras, con despachos en que escribir lo increíble?

Esta noche vagorosa, pero iluminada, en que he podido escribirte después de tantos días, siento que aun tan obligado como estoy a lo que no acabo de sentir, veo el camino, no lo he perdido y cómo por ese camino se va más a Dios, que es lo incognoscible, lanzándome a lo desconocido, extraviándome en lo desconocido; puedo consolarme cuando me sienta más perdido gracias a que en cualquier momento se puede gritar: «¡Dios! ¡Dios mío!»

Abrazos de

*Ramón.*

Mi constante Ramón:

¿Deben tener fecha estas cartas? ¿O es mejor que no las tengan, porque eso las avejentaría? ¿Que no se sepa en qué momento de la tierra nacieron y de qué cosecha son?

¿Es que quiero desconcertar a los tiempos que vendrán después de mí? Inútil. Se notará en ellas que son del pasado, pues toda carta que se va escribiendo va entrando en el buzón del pasado.

Uno mismo recurre a una fecha cuando han corrido los años para saber que fue verdad esa fecha, para volver a ella, para situarse en el mapa de uno mismo y de los amigos.

Una carta que no sea de negocios, sino así de espontánea, como quiero que sea la mía, es el único documento desinteresado de la notaría del ir formando cadena con todos los encadenados que fueron y que serán.

Me impresiona en este momento el silencio del corazón en su caja de sombras y velocidades. ¿Por qué está tan mudo? ¿Por qué no dice nada? ¿Por qué no habla con golpes inteligibles como el Morse?

Calla, observa, es el oráculo escondido, tiene burbujas de muerte mezcladas a su fluidez de vida.

Las cartas las dicta el corazón más que la cabeza; salen de más abajo de la barbilla, a mano izquierda. No son bien pensadas ni expeditas si el corazón no las va dando su soplo, si él no dice: «Di eso» o «No digas eso». Yo le escucho atento a sus menores y vagos movimientos.

Mi corazón se entreabre como una herida —¿qué más es un corazón que una herida en plena hemorragia?— y me sugiere que todo el valor de la gratitud a Dios, el mayor y más debido acto de admiración es este de darse cuenta de la vida, de que nos devuelva su reflejo de estar viviendo a fondo, cosa que es inapreciable por los animales.

¿No es bastante esta proclamación dialéctica que apoya el corazón?

La carta es sólo de él: es su expansión, es su grito, es su borrón.

La inteligencia piensa y transcribe su pensamiento; el pincel copia o proyecta sus fantasías; el verso nos pierde en las copas de los árboles, pero la carta es musitación del corazón, el género reservado a él.

No habla, pero dicta; no escribe, pero lleva la mano del que escribe y señala como un punzón que fuese una flecha para los otros corazones la dirección recta hacia un más allá glorioso.

¿Qué te parece si te dijera que las cartas son aportes inocentes o graves para el Juicio Final?

Por eso no sirve quemarlas. Parecen perderse, pero, sin que eso imponga su intención de chantaje, están copiadas, queda siempre una copia de ellas.

Por todo eso, aunque entre nosotros exista la mayor confianza y yo quiera barbarizar en mis cartas, el corazón me contiene y me ruega que me abstenga de decir alguna cosa demasiado grave. «Dilo todo, pero no digas una cosa completamente de más», me dice el corazón, corrigiendo el desmandarse de la pluma.

El corazón está cansado hoy, y ya que me apela y le apelo tan directamente, he recibido de él el recado de que ya no diga más por hoy.

Hasta otro día, tu más leal amigo

*Ramón.*

Querido Ramón:

Es una vergüenza de soledad tenerte que escribir, y más cuando te escribo de urgencia.

Cada vez hay menos a nadie a quien escribir, sobre todo porque nadie contesta, pero el estilo epistolar no puede desaparecer.

Te diría cosas para retenerte en la vida, pues a los que bien se escribe, se profundiza la carta para retenerles, para fijarles en donde están, para que no se vayan de la noche a la mañana.

¿Pero qué cosas decirte para prenderte al no morir, para poner empalizada a tu curso irremisible?

No vuelvas de donde no has ido porque con decirte eso te digo mejor que no te vayas donde no se sabe qué sitio es. ¡Cuidado!

No quieras que sea el día de mañana y menos el de pasado mañana, no vaya a pasar que por precipitación te caigas por el puente abajo al pasar con impaciencia de un día a otro. Que te transporte a su hora el natural paso de un día a otro, pues sólo por el camino de la impaciencia hay puente peligroso. ¡Cuidado!

No pienses en las redecillas de las venas, en esos arbolillos huecos y sin hoja, miniaturas de pinos interiores.
Ahí está el enredo; pero mientras no se produzca, el
optimismo debe ser precisamente mayor.

En este mundo de conciencias huecas es malo tener
una conciencia que retiene algo de la falta de conciencia
de los demás, pues se siente uno pesado, cargado de
asuntos dramáticos y sin saber qué hacer con esa sobre-
carga.

El hombre bueno no está enfermo de sí mismo, sino
enfermo de los demás, de su contagio inevitable, pues lo
contagioso de ese género aprovecha la soledad para venir
infernalmente a vernos.

No es posible gozar el aislamiento en un mundo tan
descuidado, tan liado alevosamente entre sí, sin margen
de bondad para el que revolotea en él.

No sé qué hacer. Por lo menos me quedo quieto, ta-
pándome la boca con la mano izquierda mientras escribo
con la derecha.

Tengo la ventana abierta, y en la noche serena del
verano oigo a un niño que llora y llena el anchuroso
silencio de los sucesivos patios de una nota de agonizan-
te que me hace pensar que los niños comienzan a llorar
de muerte.

Sigue llorando el niño, como levantando en mi carta
un borrón de esos que promueven las lágrimas, sacándo-
lo de la tinta guardada en las letras.

Pienso también que un niño llora por los pecados de
todos, además de revelar por ese mismo llanto que existe
el pecado original, escandalizando y poniendo de relieve
con sus lágrimas todos los crímenes y mezquinas estafas
que no pueden dormirse en la noche del calor.

Matarían al niño como a un gato los que se emplean en negocios sucios, en hacer, sea como sea, una fortuna, pues quieren ocultarse en el sueño y no descansar de su identificación.

Hasta otro momento que tenga libre para robar —ya ves que yo también robo— un poco de tiempo al tiempo, recibe la pasmada amistad de

*Ramón.*

Querido Ramón:

¿Te acuerdas de cuando en la juventud conocías e ibas a ver oposicionistas, jóvenes amigos que aspiraban a una plaza segura?

Fue una experiencia anonadante; pero por lo visto hay que pasar en la vida, sobre todo en ese momento de confusión adolescente, por endurecedoras experiencias.

Nos daban las señas de su casa de huéspedes y subíamos a verles.

Toda la posible claudicación de la vida estaba reunida en su alcoba despacho.

Me acuerdo, sobre todo, de la tenebridad —no quiero poner tenebrosidad— de un asturiano que se preparaba para cabrestante.

El hacer oposiciones era en aquel joven macizo y seguro una especie de sensualidad al revés, encubriendo esa sensualidad con la impasibilidad desmesurada e hipócrita de las matemáticas.

Se veía que se le estaba volviendo de metal la cabeza, porque lo que es metálico responde a segura fórmula.

Allí estaban los libros, abiertos por sus recetarios, y cuentas con números; pero en aquella habitación me hice

el juramento de no aspirar nunca a cargo alguno como
no supusiese investigación original. Todo se iba volviendo falso, forzado, sin contacto con la vida en aquella
existencia, y Mario —así se llamaba el oficinista— se iba
convirtiendo en una especie de bastón paraguas o en una
de esas tarteras reunidas en que se puede servir una
cena con tres platos y postre a un huésped enfermo.

Charlábamos como si fuésemos a ser algo en la vida,
sin nada por de pronto, yéndonos a asomar al balcón
y no asomándonos, como si eso le fuese a distraer demasiado al oposicionista.

Por aquel balcón se veía una de las calles más dis-
traídas de Madrid, pero había que dejarlo y hablar como
seres que esperan un nombramiento.

Quedaba la tarde como un puro nuevo que se nos
hubiese caído y hubiésemos pisoteado, dejándole imposible ni para una primera encendida ni para una primera chupada.

Aquella visita de cumplido juvenil, que hicimos por
como nos había dado sus señas y nos había invitado
insistentemente, nos dejaba llenos del luto desgraciado
de la juventud, de sus obligaciones, del haber subido y
bajado en vano unas escaleras.

Dejamos allí la vulgaridad de una cama, una mesa
y unos libros con las fórmulas para el envenenamiento
de la juventud.

No olvidaré nunca —será lo que menos olvidaré como
cosa de melancolía— esas tardes de cuerpo presente,
charlando de mentira en el largo interregno del ganar o
perder unas oposiciones.

Cuando salía de esas visitas a los oposicionistas me
amparaba de las paredes como un ciego; encontraba

que eran puertas de purgatorio los portales y sólo me
salvaba algo que se destacaba en el volver a casa, cualquier cosa ajena a la arrasadura humana, quizá aquella
marquesina con incrustaciones de tormenta, de violín y
de tarántula.

Quería quejarme a alguien —¡qué incongruente hubiera resultado en carta que no fuese a ti!— de ese penoso
recuerdo.

Abrazos de

*Ramón.*

Querido Ramón:

¿A quién voy a escribir carta tras carta si sólo te tengo a ti en el mundo?

Claro que a veces tiemblo como esta noche, porque escribirse a sí mismo es como escribir a un fantasma lejano, en cuyo fondo de voz muere el ¡Socorro! que se le puede lanzar, pues puede irse a morir cuando le estoy escribiendo y entonces sucedería que la carta, además de incontestada, quedaría interminada.

—Escribía ayer o hace un momento una carta que reflejaba aún vida, y a raíz de eso murió sin darse cuenta de que era la última carta sin promesa de más.

Oyó un ruidito en un rincón de la habitación: no hizo caso de él, no lo describió en la acusación de la vida que es una carta, y «eso» era la presencia de la Asesinadora, para la que no hay cerradura, ni revisión de las habitaciones antes de cerrar el cerrojo, porque ella quedó dentro antes de tomar todas las precauciones.

¡Cuánta obra de arte muerta de un golpe, bajo el mazazo sin levantamiento ni respuesta!

Ya sé que no ha sucedido aún; pero es posible que una de estas cartas —la última— resuma toda la ambición de decir lo más que se puede decir escribiendo, usando esa facultad que tiene el hombre de desdoblarse. de pedir auxilio desde el fondo del alma.

Es un cuarto de segundo que quisiera presagiar en todo su asombro para que no le sorprenda al hombre pensando mal, haciendo el mal, empecinándose en la idiotez.

Siendo un cuarto de segundo es indescriptible, porque en ese ver y no ver, en ese visto y no visto está toda la sensación del que fue vivir y de lo que es lo más permanente: morir.

Bien conseguido el contraste de esa llenazón y ese vacío se habrá logrado el aspaviento premonitor, el respingo concienzudo de lo que es la instantaneidad de la vida.

En una modesta carta puede estar conseguido eso. más que en una divagación escrita en forma de ensayo.

La carta a sí mismo como fórmula de la llamada final, del aviso bien formulado, del decir adiós como sólo se dice adiós en las cartas o cuando al bajar del tranvía nos despedimos del amigo recién encontrado en la plataforma y que sigue viaje.

Esto mismo en el diario tiene sordidez suicida —lento espionaje de cómo le va sentando a uno el veneno de la vida—; pero en carta, y en carta escrita a quien tiene la obligación de sufrir la lata, es quejosidad fraterna de moribundiente.

En un cuarto de segundo puede convertirse en realidad la aprensión o, por más que se sospeche, puede no cumplirse, para que continúe esta correspondencia caprichosa.

¿Cómo será ese cuarto de segundo, ese momento entre el hablar y el no hablar, entre el pensar y el no pensar, ese divorcio entre lo que se mueve y vibra y lo completamente inmóvil?

Tapias blancas... No saber cómo llamarse a sí mismo... Todos los yoes desaparecen, muriendo como una partida de gansos que desaparecieron en el no saber ya dónde... La luz no se sabe dónde está ni dónde queda su llave... El espejo se yergue, pero no podremos nosotros erguirnos en él... Hemos quedado fuera de todo, en lo impermanente de lo permanente... Éramos el viajero que estaba haciendo el baúl de soñados viajes y se cae dentro del baúl y se lo llevan en dirección desconocida... Al escribir sonaban los caireles del candelabro y de pronto ya no suena nada... ¿Qué es un sacacorchos? Ya no se sabrá ni qué es eso... Ya el aire no estará fuera ni dentro, sino por otro lado... Eso que nos desesperaba tanto —el esperar— ya no existe... Ya nada: es un plumero caído...; no..., menos..., menos, nada...: un papel caído en el cesto de los papeles... Sí, una cosa así; pero eso hasta mañana... Estaba fisgando la vida y de pronto el «estaba» se convierte en un «no estoy» para siempre... Queríamos decir lo que no dijimos nunca, como si no hubiésemos sabido vivir nunca la vida y hubiésemos estado muertos antes de morir... Sólo serán nuestras alcobas los subterráneos de tierra, pero sólo simbólicamente, según unas palabras que ya no sabremos ni podremos leer nosotros porque olvidamos nuestra lengua, aunque creo que para traducirla a otra, a otro hablar, que es lo más famoso del caso. La gran sorpresa..., el revés del revés de todos los reveses en una fracción de segundo inconmensurable, tanto que creeremos en seguida que allí hemos estado siempre porque lo que habrá sucedido es que hemos entrado en el Siempre, que no admite nada en el antes

ni en el después, y eso gracias al alma, que es el paracaídas que se abrirá cuando caigamos en los insonda-
bles abismos, el paracaídas que no fallará, que se des-
plegará como una medusa en el agua, dándonos cuenta
súbita de que vivimos en otro elemento del que salimos
sin saberlo y al que volvemos al fin.

Bueno; ahora, después de esa supraagónica suposición,
hasta otra noche y que no suceda nada de lo dicho.
Abrazos de

*Ramón.*

Querido Ramón:

A otros hay que verles para ver si siguen siendo los mismos o si viven de modo diferente. Yo ya se sabe que soy el mismo y vivo igual. Es maravilloso que la Providencia me consienta este parecimiento, siendo tan difícil vivir y no teniendo nada entre día y día. ¿Que escribo mucho para lograr esta identidad aperencial? Sí; pero también se respira mucho y no se saca nada de tanto respirar, sino tener más hambre y más falta de vida gastada por el tanto respirar.

Menos mal que el escribir sirve para algo, para vivir de algo sin la humillante tarea de levantar bultos, o desatornillar cosas, o, lo que es peor, dedicarse a las denigrantes especulaciones para ser rico.

Siento estos días que he comenzado tarde esta correspondencia.

Siento fenómenos de acabóse.

El otro día —te lo cuento muy confidencialmente— comencé a escribir en una letra muy pequeñita, una letra que nunca había tenido, y me pregunté en la alta noche: «¿No será estar en la muerte escribir en una letra inverosímilmente pequeña, letra de loco muerto?»

Otro fenómeno me sucedió ayer. Sentí como si un mono negro de la selva me hubiese saltado sobre la espalda y me hubiese derrengado. Sólo me queda la sospecha de que fuese un hombre que, por aplastarme, se hubiese tirado sobre mí desde un piso alto, cometiendo un medio suicidio.

Claro que achaco estos extraños síntomas no sólo a la edad, sino a que vivo en un mundo ofuscado y lleno de miedo.

Divagamos entrecortadamente, con alucinaciones que no nos merecemos, entre gentes que no saben que la vida no puede convertirse en desear tener dinero para comprar todo lo que se ve. Eso obsesiona demasiado.

No trato a nadie para no sentir cerca ese afán de compraventa, pero lo siento alrededor y llena mi soledad de aprensiones.

He llegado a la soledad suprema en esta ciudad, que se puede pasear de arriba a abajo sin encontrar a ningún conocido.

Esta situación de soledad y de independencia es admirable; pero me preocupa mi mujer, porque la gran soledad tiene grandeza si tiene una compañía así, y sin ella el mundo dejaría de tener el espacio necesario.

Si tú no vivieses lejos de mí y en vez de cartas tuviésemos un diálogo íntimo, podrías perturbar la paz de nuestro hogar sólo por la mujer, sólo por ella.

Tú eres mi único confidente no vulnerable porque estás donde ella no puede alcanzar, en el carteo que ella no puede evitar por más que me tuviese secuestrado.

Estas cartas serán las más sinceras de mi vida, porque como siempre estoy con ella sabe las cartas que envío al correo y revisa las que echo en los buzones de la calle; sólo éstas se escapan a su fiscalización.

Sin embargo, aunque ella no intervenga en nuestra correspondencia, te diré que sólo el que no estuviese a mi lado ella podría hacer que se suspendiese, pues yo ya no escribiría ninguna carta.

Por hoy no se me ocurre más que decirte, pues las cartas son cortas o largas según esté el día, según se mire al almanaque.

Abrazos de

*Ramón.*

Querido Ramón:

Estoy en situación de auxilio y por eso intento colar esta carta por entre los barrotes de mi prisión.

Mi sistema interior está portándose mal, como si no quisiera colaborar conmigo, y eso que he tenido los más conmovedores diálogos con los órganos más íntimos.

Parece que están cansados de vivir en la oscuridad —lo extraño es que no se cansen pasados los cinco años—, sin vaga luz ninguna —sólo la de la radiografía alguna vez—, porque por más que los médicos llamen luces a los canales de las venas y de las arterias, hasta esas luces se van perdiendo porque se van obturando.

¿No habré divertido bastante a esos órganos escondidos o quizá se han plantado, no sabiendo que el plantarse es peor, porque es su muerte?

¿Cómo no me agradecen más que no les haya saturado de esos microbios que se adquieren voluntariamente y que son sus más verdugales martirizadores, no saliendo ni abandonándoles nunca, por más que digan lo contrario los doctores?

Ya estoy en el delirio tremendo, y no por el alcohol, sino por la inteligencia exacerbada y por el escándalo de la vida, donde abundan los sin alma, que han formado el cuadro del exterminio de los con alma.

Te confieso que no sé por qué quiero relacionar el azar de la arbitrariedad del mundo con la arbitrariedad de mi estado con dolor de vísceras, pero algo me exige esa comparación.

No sé por qué un viajero gritón, negro de carbón, que ha bajado de un barco de carga en Southampton (Inglaterra) esta madrugada, con la bufanda desgajada del cuello como una nube, tiene la culpa de mi dolor de lumbago.

Se ve que de ninguna manera, ni dejando que todo sea libre y sincero —llévense todo lo que tengo a mi lado, menos a mí—, sintiendo tanto asco a entrar en la vida de otro y teniendo sobre el otro siempre la superioridad de una repugnancia interior por tocar algo que él haya tocado, no le respeta a uno el mundo, y ese viajero y esa sombra antigua le pueden dar a uno un lumbago recalcitrante.

Claro que yo me río de todo —hasta del lumbago más doloroso—, y si es caso me divorcio y me separo de esos amables órganos de mí mismo, que por lo menos debían estar en armonía conmigo, que les he querido dar la dignidad suprema de no promiscuar, habiendo hecho el juramento de fidelidad suprema del arte que estriba en la fantasía —en lo que más toman parte las entrañas, elevadas a lo suprasensible—, todo en la independencia menos oprobiosa.

Todo inútil, querido Ramón, nombre lejano, descarnado, que casi no tienes que ver con este montón de cosas arraigadas que quieren tirar de mí hacia abajo, queriéndome hacer entrar de algún modo en la ignominia común.

¡No podrán! ¡Tú me salvarás!

¿Es que voy a tener que morirme para seguir viviendo?

No, no; de ninguna manera.

Abrazos de

*Ramón.*

Mi querido Ramón:

Estoy en estado de «funiculá funiculí», estado muy difícil de explicar de otra manera, y que es como si una cuerda tirase de uno, como la de los funiculares que suben a lo alto.

El estribillo zarzuelero insiste: «Funiculí-funiculá.»

Es como una persistencia coreante que viene del fondo de los escenarios, y tiene tal malagorería que estoy por no escribir los artículos próximos, pues si voy a estar muerto en vez de vivo me los ahorraría.

Flojea la voluntad. En verdad no debían vivir más que los rentistas.

Es muy difícil seguir llenando de dignidad el alma inmortal que Dios nos dio, y cuyo colmaje es el único deber del hombre, identificándose así con el más allá.

Cada vez que veo más que son los otros y no yo los que activan el mundo, saliendo y bajando de los aviones y asistiendo a las exposiciones, hasta a las de acuarelas muertas.

Yo ya no subo, ni bajo, ni entro, ni asisto; yo ya sólo conozco que las tiendas más visibles y más dignas de perpetuidad son las de las esquinas, las únicas que se pueden permitir un exhibicionismo justificado.

No tengo citado a nadie esta semana, ni la otra, ni la otra, ni la otra.

Soy feliz y no puedo comprender cómo puede serlo ese poeta o ese artista que reciben gentes ínfimas, por poderosas o adineradas que sean.

Me siento dichoso porque al escribirte no tengo ni que alabarte, ni que zumbarte, ni que ponerme terne con mimo poético.

Te digo la verdad monda y lironda, como en el diálogo más confianzudo no te la dirá nadie, sin volverse literaria, intimista o de náufrago en el diario íntimo.

El mundo es una almoneda, y entre los cuatro cacharros y las cuatro cosas de la almoneda vive uno escuetamente.

Yo no tengo tierra ni Banco de los que me traigan productos o rentas. Yo sólo espero alguna carta del correo, una caritativa y amable carta que cumpla su deber de reciprocidad.

El caballero antiguo tenía por lo menos como una cruz de cementerio, afilada y envainada, su espada, su herrumbrada espada, ni para matar ni para morir: para llevarla, para tenerla como gran compañera.

Yo, a lo más, tengo pluma, esta pluma con que te escribo, revelándonos dos en ella, disimulando instrumento de trabajo, de zapadores minadores.

Porque hasta el mundo literario no es que haya nuevos reveladores y creadores que nos despojen de nuestro estro, sino nuevos trabajadores que se encargan de poner al día la amenidad, de continuarla mal que bien —lo mismo da— trabajando, trabajando, trabajando.

Ya lo veo: es que no podemos seguir haciendo el trabajo sólo nosotros indefinidamente; es que otros, como albañiles con sus herramientas a cuestas, tienen que seguir la obra.

Siempre tu buen

*Ramón.*

Querido Ramón:

Las cartas son escribirse lo que no se sabe que va a ser.

Comienzan por una Q mayúscula y de ahí sale todo como los flecos de una planta submarina.

Sale de muy adentro —debe salir— todo ese enredijo de palabras que aspiramos a que sea muy abisal, pero generalmente es muy superficial.

Devanar una carta es algo tremendo, costosísimo, en cuyo esfuerzo reconocemos nuestra mucha hipocresía y nuestra poca sinceridad.

No creo que haya en el mundo ser con quien tenga más confianza que contigo y, sin embargo, no te puedo escribir lo que quisiera escribirte.

Todo te lo quisiera decir, entre otras cosas, para saber yo mismo mi propio secreto y me cuesta trabajo llenar de palabras los proporciones de una carta.

Esto no puede ser. Tengo que quitarme de encima la caparazón de tortuga que me ha puesto lo convencional.

Quiero decir lo desgarrador, lo que no dije ni en mi diario íntimo; porque he encontrado una forma más dialogadora de contar lo que me sucede, de poner a alguien por testigo ante el crimen que quiere cometer conmigo la vida y que va preparando lentamente, distribuyendo poco a poco el veneno, tan sagazmente que no encontrarían su rastro si me hiciesen la autopsia.

Cada día noto que no se explica lo natural más que por lo sobrenatural y por eso yo querría hablar sobrenaturalmente.

¿Cómo? Diciéndote que viene a verme la momia por las noches.

—¿Qué momia? —me preguntarás.

No quisiera contestarte más que «la momia» a secas, la momia que fuimos y seremos, la momia desconocida, la tuya, la mía, la de no sé quien.

Mi posición es como la de estar pidiendo limosna a la puerta de la Catedral, y sin querer otra mejor.

¿De noche, toda la noche, hasta las seis de la mañana y a la puerta de una Catedral?

Pues eso es, y por estar a la hora en que no hay fieles no recibo ninguna limosna y por eso cuando me voy a acostar me llevo la Catedral como si fuese un panecillo largo y la meto debajo de la almohada.

Escribo, cumplo con mis treinta trabajos al mes, todo lo hago sin perjuicio de estar en mi puesto y mientras tanto sentado a lo moro sobre las losas del atrio catedralicio y mirando al cielo como un bizco.

Toda la amenaza del presente es quitarnos todo, la mantequilla, los huevos, el azúcar, todo y por eso está bien haberme adelantado y estar ya extático como un ciego a la puerta de la Catedral de la noche.

Me siento feliz y tranquilo en medio de lo desértico y sólo temo que alguien me recrimine porque no traigo monedas o me pongan una multa por ese no tener, o se me exija el impuesto de los réditos por ese ejercer tan incesantemente profesión de limosnero vacío.

¿El corazón qué hace mientras tanto? Guarda el más espantoso silencio y hace cálculos silenciosos como un gran matemático.

Siento que hace operaciones con cifras blancas sobre papeles negros que va dejando caer en su quemador oscuro, convirtiéndolo en ceniza inmediatamente.

Pero si él no despeja la incógnita, no es raro que yo no sepa la solución de sus resultados.

Yo sólo le siento afanado en un problema inacabable y siento caer los papeles de sombra de su especulación misteriosa.

Así me dejas hoy a la hora en que cae el párrafo sobre mi reloj, yéndome a acostar con mi Catedral —pan o pez— en la cama fría que al borde es como la orilla de una playa, en que yo soy como una foca negra.

Abrazos de

*Ramón.*

Mi querido Ramón:

Te comencé a escribir estas cartas intimistas en broma, pero según pasan los días te las escribo más en serio y a mí mismo me asusta esta seriedad.

Te diría que cada vez estoy más solo y me voy quedando sin mí mismo. Algo consume mi compañía, esa que rodea al hueso y al alma.

Se van quedando solos el hueso y el alma, pues lo otro se atimpana, se necrosa, se embota en su misma materialidad macerada por los años.

No puedo yo solo, ni con toda mi bondad, cumplir la esperanza de lo que me rodea, pues esa espera en Dios, la sed de esperanza tiene que ser desesperada. No se lo confesará a sí mismo quien esté en esta carencia de Dios, pero lo que se resuelva en su alma, su misma sequedad de amor sólo depende de eso.

La vida me trae como deudas que no pagué todo lo que había pagado a su debido tiempo. Esa acreeduría del tiempo en total. Ahora resulta que no pagué nada de nada. Es el último rencor estafario del mundo.

Pero yo estoy tranquilo, mi conciencia de bondad no me remuerde. Toda la esperanza que mantuve siempre, creyendo en la inmortalidad del alma, me da confianza en el más allá y eso deshará todo enredo que surja en el andén final.

Pero tú ya te podrás dar cuenta de lo que significa ver esa mano misteriosa que apareció por la rendija con la cuenta impagada de «todo».

Antes de que se nos arregle la cuenta definitiva entre el más acá y el más allá, hay un revuelo último en que todo quiere aprovecharse de la atmósfera de viaje y los cuervos llaman rozando el cristal de las ventanas y alguien en el rincón más íntimo nos exige todo lo que no pudo tener.

Te confieso que es una situación embarazosa y totalitaria —pues desde lejos tiran con bala— que sólo podrá vencer mi serenidad que dio todos los adioses por anticipado.

La estafa se aprovecha de la telepatía del acabóse, pero yo me sonrío porque creo que es ahora cuando comienza todo, cuando todos los que pasaron el promedio de la vida están más desengañados, mientras yo soy el iluso sempiterno y el antiloco que por eso comprende a los locos.

La vida no es más que esto, ser un locatario y en este local con cuatro habitaciones, ver pasar los días —pocos de sol y muchos de viento y lluvia— teniendo lámparas iluminadas después del atardecido.

Lo único que comprendemos tarde es que hemos perdido el tiempo en conversaciones que si son un intercambio ideal cuando los interlocutores se portan como pariguales, no lo son cuando el otro roba lo que oye y lo tira, no dando en cambio más que los periódicos viejos del día.

—Aquí tienes el diario por si no lo has leído.

Gracias a que no perdí tanto porque siempre he estado distraído, en vuelo sobre las mezquindades humanas, fiándolo todo al correr de las nubes y dando mi fortuna con desprendimiento sumo, sin querer retenerla, ansioso de estar solo con mi pobreza.

Después de ese armisticio del periódico usado y caducado, la paz se rehace como si quedase rendida la bandera de la lucha.

Me imagino que tienes parecidos conflictos y que también se te vacía la vida de pronto como ese baño que pensabas que te esperaba lleno y que se ha ido todo porque dejaste el tapón mal puesto.

Hay que estar prestos, ligeros de equipaje, sin ajenidades que produzcan el dolor desgarrador de querer agarrarse en vez de irse como cadáver suelto en el río.

Escaparse sin que nadie lo note y lo anote, habiendo visto unas cuantas madrugadas azules y grises, con su expectación emboscada e inocente, sin saber aún de crímenes ni amores, incontaminado del mundo estadístico y apremiante.

Recibe tú abrazos en la nueva alba amistosa de

*Ramón.*

Querido Ramón:

He vuelto de una cena más desengañado que nunca.
Se va atrofiando en· las gentes el sentido explícito de
la sinceridad. No quieren sinceridad pura ni en la hermética habitación íntima.

Tú sabes que yo lo único que conservo y para lo
único que vivo es para tener en activo la sinceridad
independiente de toda política o de toda consigna y que
me cuesta un bárbaro esfuerzo defenderla de toda pro-
miscuidad y de toda compañía anulatoria.

Los jugadores y las jugadoras de cartas empedernidos
se van vaciando de la inquietud nutricia del alma, se
van secando, anulando, quedando en blanco, sólo como
alargados papeles para apuntar futuras jugadas con sus
pierdes y sus ganes.

Recuerdo que siendo estudiante descarté unos cuan-
tos amigos que se encerraban a jugar todas las tardes
y se volvieron fofos, tardos, sin saliente, sólo dedicados
a la ambición y al medro, a lo largo de la vida, grises,
pesados como osos, notándose en sus rostros aquel tono
blanco que les dio la abstracción del juego.

Ya no se lee, no se piensa desinteresadamente, se
neutraliza el alma y el pensamiento, no se quiere ni se
sabe intervenir en la polémica de la vida.

Cuando se encuentra a esos seres en la hora de la sobremesa —lo que me sucedió a mí anoche— ya no quieren divagar, explorar, colocar las cosas en su sitio, hacer justicia, escapar a su vanidad de buenos jugadores o si no juegan, sino que se dedican absorbentemente a los negocios, a escapar a su condición de gananciosos, abotagados como los pelícanos por todo el pescado de plata que tienen depositado en su papera.

Se hablaba del hijo de un ricacho que había propuesto a su hijo que comprase el cráneo del sabio que vive, ya que tanto le gustaban los cráneos y nadie encontraba abominable esa propuesta irrespetuosa de creer que todo se compra.

Se cierran frente a la encuesta sobre conductas y buenas voluntades, no quieren tener ni la caridad de la buena crítica, de la alabanza o del repudio espontáneo, sin más trascendencia que la expansión a puerta cerrada.

Era más sintomático el caso porque eran de los pocos que yo había exceptuado para poder estar con ellos una velada entera y porque hasta esa noche habían respondido a la llamada del alma.

Parecían haberse rellenado de algodones y haberse enfundado como quienes se han ido a pasar una temporada fuera, no queriéndose comprometer en las confidencias del presente, embotados como por prescripción facultativa.

—Amigos, amigos —les gritaba yo— un momento de verdades, un solaz de sinceridad.

Pero la mudez más rotunda contestaba a mis palabras como si hubiesen llegado allí con la consigna de no opinar por el momento, hasta que no pase el momento.

Se ha declarado a la época abstemia de altas y nobles resoluciones hasta que no pase eso o esto.

¿Pero qué es «eso» o «esto»? Sea lo que sea y precisamente por presentarse tan misterioso e incognital hay que meterle mano, hay que indagar o penetrar en su entraña, no sea que precisamente en su supuesta provisionalidad desaparezcamos definitivamente.

Parece como si no subrayando nada, no profundizando nada, no hablando más que con los inícuos almacenadores de dinero pasará sin sentirse ni agravarse la época transicional.

No les importa que las formas de la sinceridad se descompongan, pierdan su elocuente palabra, no puedan volver a resucitar con su secreto tradicional que sólo pasa bien de un tiempo a otro gracias al entusiasmo oral de los conversadores.

Por eso te escribo hoy desolado ante ese querer perder la expresión de un idioma que podrá convertirse en idioma muerto, pereciendo los pensamientos que encarnó y que tan difícilmente pasaron de una época a otra.

Nosotros aún nos entendemos, pero es trágica nuestra soledad, aunque alguno de los dos al leer esta carta comprenda la angustia nueva de la sordería implacable.

Así aumenta la tozudez de los despistados y surge una sociedad artificial hecha según sus caprichos sostenidos, todos aplicados a no dejar que por ninguna rendija entre la imparcialidad abnegada.

Lloremos la sinceridad perdida y que los que tenían algo de su clave hayan entrado en la incesancia ambiciosa.

Abrazos de

*Ramón.*

Querido Ramón:

Nunca entrar en una confidencia melindrosa o meliflua. Te escribo precisamente para desahogarme de las cosas secas de la vida.

Cada vez sé menos sobre las materialidades de la vida, pero no es ninguna de esas cuestiones de gusano —las de comer, siempre son minucias gusanales— las que me interesan, sino dar el grito.

¿Que qué es ese grito? El grito del alma, el «aquí está», el «ya lo pillé» o el «al fin lo sé».

Comemos para sostener el espíritu, para levantar su llama y toda la discusión ahora, después de haber comido, es hablar de cómo comer mejor o tener muebles mejores. Es decir gastar la lucidez en observar la chimenea y el carbón que sólo deben valer para ser más sensibles y pensar en otra cosa.

¿Hacia dónde va el tiempo? Ya que nos hemos vuelto tan modestos y tan cobardes que no preguntamos hacia dónde vamos nosotros, hagamos preguntas tan generalizadoras y tan neutrales.

¿Dónde va ese día claro que va disminuyendo, que va yéndose mientras escribo y oigo un recital de piano que toca con las uñas de los pies el día que vuela?

He optado por quedarme en casa para escribirte y para ver si puedo explicarte lo que sucede sobre el mostrador de mármol de la vida.

Tengo lo que tendrán todos los que nazcan hasta que se mueran, un día, el día con su mañana, su tarde y su noche.

¿Qué puedo hacer con él para que no me lo distraigan, para que no sea burocracia y juego distrayente? ¿Plancharle?

Escribirte es ya algo, pues así me refiero puramente al día y lo gasto desinteresadamente procurando dar el calor de sus ojos.

Aprovechando que a ti no tengo por qué darte consejos ni decirte nada de la familia —enjundia usual de las cartas— puedo aclarar lo que puramente se propone cuando nos sale con la estratagema del viaje.

Aquí estamos el día y yo, cara a cara, confidenciales y yo pronto a contar su confidencia, lo que he podido sacar en limpio.

Aquí está como un muro de iglesia dedicado a Dios, elevado hacia Él, arrodillado y en oración.

Subimos como lagartijas, enloquecidas por ese muro, nos metemos por sus rendijas, volvemos a bajar, volvemos a subir.

Todos no tendrán más que esta tapia alta, rendijas y la facultad de subir y bajar por ellas unas veces tranquilos y otras veces temerosos.

Ya se va disolviendo la tapia, cada vez se ve menos, sus piedras de luz se desmoronan, todo se fue hasta mañana.

Como ves, la cuestión de dónde se va el tiempo es la gran incógnita que la epístola gasta como si fuera un cigarrillo.

Hemos tenido un día cuyos secretos íbamos a comunicarnos, estaba dispuesto a la mayor sinceridad, y ya ves, nada.

La carta está escrita, pero tiene luces de corral o de solar, nada entre dos platos, un prospecto en blanco, un quiero y no puedo del que se tira a un río y después se ahoga.

Otro día quizá aclare más la cuestión.

Tuyo,

*Ramón.*

Querido Ramón:

Sólo tenemos treguas y tenemos que aprovecharlas bien.

La equivocación durante una temporada «progresista» de la Humanidad fue creer que debía llegar la paz definitiva y así se pusieron a esperar en vano y todo estuvo en situación de espera.

De esa tregua de lo inesperable no se puede esperar nada y por eso nos tenemos que acostumbrar a vivir la tregua como lo más positivo que se nos puede presentar.

Fuera de ese momento delirante de la fe en el Progreso y la Civilización, todo fueron treguas en la Antigüedad, tregua entre la guerra del Peloponeso y la siguiente, tregua siempre.

Ahora nos ha salido una tregua —no sé lo breve o lo larga que pueda ser— y debemos vivirla como si fuese sempiterna.

No esperemos que sea definitivamente resuelta la incógnita, porque además de que nunca será definitiva la solución, perderemos lo único que tenemos: la tregua.

Es una palabra que debemos deletrear: «tregu-a», pues en la vida que no es seguidamente interna la forma y el tono de vivir es sólo treguas.

No se gana tiempo precipitándose, dando largos pasos, adelantando el porvenir. Sólo aumenta el tiempo los remansamientos de las treguas.

Yo recuento los segundos de estos intervalos y hasta cuando veo que el camarero tarde en traer lo encargado me digo: «Esta espera es una propina de vida.»

Tú hazme caso y haz como yo, refuerza toda pausa, aumenta la conciencia de vivir en la espera del tren en la estación de paso, dilata, tu sentir y tu mirar, recibe la confidencia de los campos aquietados y anclados alrededor del andén y fuera del tiro de las vías, abrillantadas por fatales itinerarios cumplidores —ejecutores— del destino.

Los que van contra la tregua no saben lo que hacen, cargándose la poca vida pacífica que les ha tocado vivir y sin la esperanza de que el porvenir cambie para todo lo bueno que se supuso, pues el porvenir es una hipótesis enrevesada e inagotablemente desleal.

Según una teoría lanzada por primera vez en esta carta y del tipo de las de Einstein, es que el tiempo de la tregua tiene larguras de siglos, mientras esa misma cantidad de tiempo en la refriega sólo tiene dimensión de días.

Si «Ella» no nos arma en estos días un escándalo, pues son de tregua inmortal de Paraíso; si el sastre se ha olvidado por una temporada de nosotros, pues el débito de doscientas se convierte en la tregua en muchos miles regalados de tranquilidad como si el traje a medio deber soltase billetes de regalo, seremos felices.

Y ya que hoy estamos de tregua, que mi carta te lleve más cuantiosa amistad que otras veces.

*Ramón.*

Querido Ramón:

Otra vez antes de irme a acostar quiero ponerme a escribirte.

Ya está abierto el camino del alba y las nubes moradas me van a quitar el paseo de la tarde.

Es increíble la cantidad de días fallidos que aparecen a través del año, cubriéndolo casi por completo.

Hay otros hombres embarcados con horas fijas, que salen de sus negocios y oficinas cuando ya no se puede pasear, pero nosotros —tú y yo— lo tenemos todo distribuido para tener siempre libre esta hora y pasear por los jardines del buen día. Ellos podrán dudar de que sólo por sus tareas no pueden alcanzar el buen día, pero nosotros —tú y yo— sabemos que ese buen día no suele existir casi nunca.

Entonces ¿en una vida sin buenos días para qué vivimos? ¿Para vernos forzados a la tarea y pensar en las mismas cosas dentro de la misma casa?

Otro día malogrado, anunciado en el alba que observo una vez más para ver lo cochina y de mal agüero que suele ser.

Sólo la carta me salva, porque la carta es la queja escrita, es el llenar una hoja del libro de protestas, es el desahogo escrito para que reciba el memorial el Jefe del Mundo.

No escribimos a X ni a Z, sino a otro, a un intermediario, al que le toque, y por lo tanto, con mucho más derecho y razón a ti mismo.

Yo no tengo más que este desarrollo tranquilo del día si sale con tiempo despejado para ver mis adelfas en el jardín público y mi resumen constante es el de no poder ir.

Cielos sucios y amenazadores cubren la celeste esperanza y mi única riqueza está en pie de ruina.

El verde es lo que calma los ojos dedicados al leer y al escribir y sólo el verde —el color consolador que por algo Dios puso con tanta abundancia en el mundo— es el que consuela de los correos pobres, de lo no conseguido, de la busconería de la mujer que no se conforma con el piadoso verdor de los jardines ni con el inmenso blasón de sol en campos azules.

No llega nada, no se confirma lo prometido, la crítica es adversa, la calumnia saca punta al lápiz, no se arreglan las glándulas que andan mal y encima este paseo preparado hacia la camilla urgente de la cruz verde preparada en los jardines —yo no sé en qué banco está—, no podrá utilizarse porque la inconsciencia oscura de las nubes cubre el cielo del amanecer, como la primer mala noticia del día cuando aún no han llegado los periódicos.

Créeme que es para desesperarse o por lo menos para desalentarse, sintiéndose enterrado en vida con ese temor al agua que tienen los cementerios, todos los muertos heridos de charco.

Me detengo en la labor, se me quita el poco sueño que tengo y me quedo dos horas más, porque ya no vale la pena de despertar en ese hospital con cubos llenos de algodones empapados en sangre gris.

Así pierdo lo único que tenía y sufro esa operación de apendicitis, me quitan una vez más el apéndice de mi ansiada vacación y quedo hospitalizado de convalecencia.

¿Cómo no te voy a escribir, haciéndote testigo de mi protesta? Es lo único que me queda. Algunos creerán que estas cartas son superfluas, que pude llenarlas de sentido político y en último caso de amor, dirigiéndoselas a una engañadora mujer, pero se equivocan los que tal piensan.

Son las únicas cartas en que el que las escribe y las lee al mismo tiempo siente la lealtad, está convencido y convence al otro de la verdad letal de la vida, le explica lo que no es habladuría o redundancia de ridiculez.

Yo sé que al escribirte no hago el primo, ni hago el Abel como cuando se escribe a un hermano, porque tú eres yo y yo soy tú, ni gemelos siquiera, sino los dos un hijo único.

Abrazos de

*Ramón.*

Mi querido Ramón:

Estoy y no estoy.

Tengo la sospecha de que los adornos de la vida nos roban la vida, nos distraen.

¿O no seremos más que esos adornos? He visto un chaleco con ciervos bordados que recordaba los otoños muertos y también aquellas maletas con que se hicieron los primeros viajes en tren y que tenían en terciopelo de alfombra los mismos ciervos de estampa para bordar en cañamazo.

Tú mueres de la misma herida que yo y no necesitas escribírmelo porque estas cartas serán al mismo tiempo respuestas de sí mismas, las únicas cartas que quedan contestadas al escribirlas ¡menos mal!

Tú te ahorras por lo menos el trabajo de la contestación, es decir, me lo ahorro yo mientras las escribo.

¿Pero qué más pura confidencia que ellas?

Es a ti al único que no puedo ocultar nada, aunque me cueste mucho revelar lo inocultable.

Hoy hace frío y el frío nos entierra, toca la campanilla de la llamada, campanilla de plata con mango de hueso. Vaso frío del sonido presidencial de poner orden.

El frío hiela los temas, pero los temas helados también pueden servir, quedan como arbolillos que muestran su signo descifrable frente a un cielo lívido.

Entre esos arbolillos hay uno que es el que más se repite entre todos los que me salen al paso en el recuerdo y sólo sé que está cerca de un paso a nivel en las primeras afueras de la ciudad.

Es lo viajero frente a los viajes y revela la estabilidad suprema, pues siquiera se le antoja pasar al otro lado, mover la puerta aspada hecha de madera de otro arbolillo, como él, pero con menos suerte cuando fue utilizado para eso.

Hoy que inicio esta correspondencia no tengo ganas de escribir, no me sale otra cosa.

Oscilo entre dos contrarios, el pensamiento de que te lo he dicho todo y la sospecha de que no te he dicho nada, aspirando gracias a estas cartas a poder sonsacar de mí cosas que de otra manera, sin este tirón que opera el género epistolar no podría haber llegado a decir nunca ni a saberlas yo mismo.

Espera que encuentre el tono y cuenta con que hay un misterio que siempre dará interés a la promesa de una nueva carta, el misterio del día siguiente, de la semana siguiente, de la quincena futura que nunca sabrá el hombre cómo va a ser ni lo que va a suceder en su desconocido tiempo.

Dos cosas pueden dar interés a esta correspondencia, lo íntimo confesado como en ninguna otra confesión —ya que el «diario» es la mudez que habla y pareciendo ser lo menos artificioso es lo más artificial del mundo— y lo sucesorio, lo que no sé si te podré relatar ni

a ti mismo, porque me puedo quedar de un golpe sin
ti y sin mí.

El caso es que he comenzado este correo en el que
soy destinador, poste postal y destinatario. Por lo menos
estas cartas no podrán perderse y serán más rápidas
en llegar que las aviónicas.

Ahora veo que escribir sinceramente es el artificio
más difícil del mundo. En mi soliloquio literario se en-
dilga cualquier cosa, pero en una carta hay que ir derecho a la verdad de lo que nos está sucediendo.

Puedo emplear en mis cartas toda la franqueza ima-
ginable e inimaginable y, sin embargo, no acabo de
encontrar el más allá de esa franqueza.

No hay que olvidar que el pensamiento está metido
en caja de hueso y esa caja no se puede atravesar, sino
a través de muchos hilos intermediarios, una enredosa
madeja con la que tropieza el alma y se enlaberinta.
¡Procuraré saltar muy de noche esas líneas de frontera!
¡Si el pensamiento pudiese dar voces y se oyese puro
y directo a través de las paredes craneanas!

Sin más,

Ramón.

Querido Ramón:

Esta carta es algo más que una carta de aire, de esas que cruzan por debajo de nosotros en la corriente de la rendija baja de las puertas.

En este momento no hay más que cartas de aire, cartas esperadas y supuestas que no llegan o en las que los amigos nos cuentan las sordideces o traiciones de los otros amigos.

En esta soledad y esta ausencia —no queremos entrar en complicidad de amigos, sino en amistad de amigos— surge de nuevo la idea del parentesco con los árboles, pues nos vamos volviendo personas árboles.

Dirás que es una manía casi psiquiátrica la que he tomado pensando en los árboles y en la corteza de los árboles, pero es que pienso la maravilla que sería que escapásemos por esa escala disimuladamente.

Nos ha faltado mimetismo para pasar inadvertidos, para ir por donde no se sabe, aprovechando rugosidades.

La madera, toda clase de madera tiene más duradera importancia que nosotros.

Me estoy dando cuenta que la vida nos quiere desahuciar para quitarnos los cuatro muebles que tenemos, pues nuestros huesos no la sirven para nada.

Sólo cuando pudimos justificar de alguna manera nuestra estancia en los salones de los billaristas, pudimos pasar inadvertidos.

Pero siempre he sentido en esa situación de asueto en los cafés con billar que el guardabolas se me acercase con su reloj inexorable y me dijese: «Venga ese taco. Se acabó el juego»; y de nada serviría que le dijese que yo no estaba jugando, que sólo era un mirón, pues, en definitiva, me despojará de la facultad de jugar.

Por eso, mi querido Ramón, juguemos, hagamos muchas carambolas.

Te daría mil para cincuenta, pues de todos modos el que ganase sería el mismo, tú, yo, yo, tú.

Como ves, estoy optimista. He amanecido así. Hay que divertirse, merecer el desgaste de los zapatos y merecer la verdura que se pone tan triste en el plato.

Todos se distraen de la verdadera diversión, se agarran unos con otros porque quieren cobrar más al mes, tener mejores puestos.

Yo me contento con poco y si estoy alegre hoy, es porque he comprado ropa blanca para el invierno, alpinismo interior, caparazón de algodón para el alma asustada.

Es una pesada incumbencia ésta de hacerse el capullo para pasar de un año a otro y ya me va cansando porque son muchos sellos pegados con goma a cada renovación.

Antes duraba una camiseta seis años y ahora sólo dura año y medio.

Pero el caso es que te escribo con camiseta y calzoncillos nuevos, o sea como un trapecista que dice adiós vestido de lubina al tiempo pasado.

Mi risueña camiseta te saluda y está llena de picantes carcajadas contra la pulmonía triple, contra el principio de catarro, que es como una gruta marina que no se sabe dónde va a dar.

Vestido interior de oficinista no siendo oficinista, de nadador no sabiendo nadar, libro en blanco de cheques para quien no tiene otro capital que su par de ambos de algodón.

Pero lo que más gracia me hace en esta inmersión en chocarreras imágenes de abrigo es que estoy vestido de esgrimista para tomarme el vermut de los esgrimistas.

¡Qué nueva es una camiseta nueva!

¡Que Dios la conserve la vista!

Perdóname este desahogo tan poco filosófico envuelto en papel secante de camiseta y recibe abrazos de tu íntimo y concurdáneo.

*Ramón.*

Querido Ramón:

La vida es un soplo y transparente como ese mismo soplo.

Andamos ya por el medio siglo pasado como si anduviésemos por casa, pero he notado que no se marcan los pasos como se marcaban. No es tan grave la cosa como que hubiésemos perdido nuestra sombra, pero había una manera de marcarse nuestros pasos en casa, en la calle, en los jardines que ya no tiene la imprimación que tenía. Es mucho más ligera y fugaz nuestra huella. Algo así como si este año hubiese abolido la grabación de las huellas individuales.

El mundo está lleno de fenómenos nuevos, de olvidos especiales, de no poder volver a pensar ciertos pensamientos, de repugnarnos la Historia —por eso los historiadores la están enderezando de manera más picante— y de disminuir aún más las cartas —las cartas no comerciales se entiende—, y por eso me afano más en escribirte sin falta.

Nos vamos momificando o mojamizando poco a poco y aún queda y quedará siempre un lado invariable de la Naturaleza que nos volverá a identificar.

Lo que te denuncio son pequeños detalles, ventajillas, cosas que teníamos y que ya no tenemos y cuya sustracción sucede en secreto, sin que nadie lo note.

Alguien o muchos han debido portarse muy mal para que nos dejen sin esos postres, esas multiplicaciones de uno mismo en el mundo, aquellas entregas de un sobre cerrado que nos esperaba al volver a casa.

Pero no perdamos la serenidad porque podemos tener apendicitis y si nos descuidamos peritonitis.

Conformidad y ver lo que aún se ve desde nuestra ventana, riqueza inestimable porque no podemos jugárnosla, venderla o repartirla porque no es nuestra: es el plante de la realidad frente a nosotros, lo que aparecerá intacto después de nuestro sueño como no surja un pavoroso incendio y se lo lleve.

Así resulta que las cosas que no nos pertenecen son las más nuestras y las que hacen que conservemos nuestra fisonomía.

En este otro tiempo que vivimos, siento que hay menos crédito y que el vivir al día es más al día, como esos relojes que, según consta en la garantía, tienen cuerda para veinticuatro horas y se paran a las veintidós y media..

Ahora vivo al día menos las horas del alba, que antes estaban comprendidas y ahora están como aparte, anunciándome que el mundo ya no es de nadie sino de todos.

Afortunadamente, como tú sabes, esas horas del alba no precisan nada y se pueden vivir en el ayuno absoluto o hasta purgándose.

Abrazos de tu humilde

                                                     *Ramón.*

Querido Ramón:

Como habrás visto, no te doy nunca consejos litera-
rios, ¡no faltaba más! Sabemos que lo literario es el
esparcimiento sumo y que todo depende —para un quedar duradero— de la suerte que se tenga.

Carta es compadecimiento más que consejo, amistad
de estar vivos más que estilización para cuando estemos muertos.

En estas cartas lo que quiero lograr es decir algo de
lo recóndito que hay en mí. ¿Qué es lo más recóndito
de lo recóndito? ¿Los guantes que por dentro tienen
las manos? ¿El sombrero de copa que llevamos dentro
del pecho y del que sacamos lo más cordial de que
somos capaces? ¿Ese cubo con peces que sacamos del
lago interior?

Yo busco afanosamente esa reconditez cuando me
pongo a escribirte y espero encontrarla algún día, pues
persisto en escribir estas cartas sin sobre.

Este día está lleno de un alma gris, que no es de otoño ni de verano, ni de primavera ni de invierno. ¿Es
en el fondo de esta anubarrada grisura donde está el
secreto y no en mí? ¿Nuestra profundidad está en un
día especial, como el que ha amanecido hoy o en nuestros adentros?

Yo sé que cuando mejor pregunto para que mejor me contesten, pregunto al cielo que tengo delante como si nuestra personalidad estuviese en él y no en nosotros.

La verdad es que nosotros vamos a otro sitio y que somos una carta echada al buzón del más allá de este día, destinada a un día lejano, cuyos almanaques tardarán mucho en imprimirse.

Te iba a contar algo, quería contarte algo, pero ese algo me lo tiene que contar a mí este gris que se difumina en algunos sitios, como queriéndome abrir las puertas de las contestaciones que satisfarían nuestras preguntas.

O sea que el «yo» está en el cielo espacial, o sea en el más allá, en el paisaje, en las regiones oscuras por encima de las estrellas.

Ahora resulta que hemos estado haciendo el tonto o, si me perdonas, «el primo», y que ni la carta de tú a mí ni de mí a ti, o sea de yo a yo, puede descubrir la confidencia suma, pues el correo que tenemos que recibir viene del alejado más allá, que es donde está verdaderamente nuestro yo, el que sabe lo que se pesca, el que nos puede orientar, pero el que nunca nos escribió ni nos escribirá.

En vista de eso, consolémonos, imitando la gran carta que nos llegará con lacres de derretidos luceros.

Abrazos de

*Ramón.*

Querido Ramón:

Te escribo en plena Navidad, una Navidad más de tu vida, el día en que nace el Salvador y el día en que de nuevo nace el hombre que vive.

He escrito mucho sobre estos días —Noche Nueva y Noche Vieja—, he inventado muchos cuentos sentimentales con la luz única —siempre única— de esas noches, pero este año estoy contento de no haber escrito nada divagatorio sobre las circunstancias.

Por eso, aprovechando esta pausa en medio de los años y ya que no me han pedido una cosa alusiva, aun siendo un especialista de mazapanerías y brindis con *champagne* —eso se fue haciendo uno y creyendo uno que iba a resultar un éxito, sin saber que nunca se es ni se será un técnico de las grandes fiestas—, te escribo esta carta.

Estoy ya más muerto que vivo y quizá por eso me conmueve como nunca esta época del año, la época en que las grandes momias se recalientan y las pequeñas momias, que son los niños, se quieren salir de sus fajas.

Se nos apunta un año más en el pizarrón de los cielos y la rata de la media noche sale a saludarnos.

Me acuerdo con luz de magnesio y con purga de magnesia de noches como estas que pasamos juntos

—yo creo que todas las de nuestra vida— y nada hemos sacado en limpio, pareciendo estar en la primera cuando la embocadura de la chimenea era marco que nos venía grande.

Tiene algo de lustral y que necesitamos esa simbólica vuelta del Redentor.

No tenemos ya tambor ni ningún instrumento de música que tocar, pero por dentro nos sentimos el hombre orquesta dispuesto a despedir al año con musical ruido de huesos.

Los gallos cantan en la madrugada tan ajenos como nosotros al sacrificio, lo cual de saberlo les haría enmudecer. Hacemos nuestros roncos ki-ki-ri-kí como ellos, festejando las madrugadas todavía anteriores al día sacrificante.

Es y será lo más permanente de esta fiesta ese guirigay porque el gallinero no se extirpará nunca y el gallo es la especie eterna sobre la tierra, donde al final quedará un solo gallo y un solo hombre.

En la tinaja vacía de la madrugada habrá cantos de gallo y ronquidos de hombre en estos días de concentración en los mercados, mercaditos y cocinas.

El punto de la i de Navidad lo pondrá el canto galleante. Agarrémonos, pues, al signo permanente que funcionará vivo cuando ya no estemos.

Te envío, pues, como regalo fácilmente facturable, un Kyrie de Gallo, ese primitivo lenguaje que da coraje al alba desde los más antiguos tiempos.

Ya ves, la única síntesis entrevisora del porvenir, el único síntoma de que hemos visto, lo que verán los demás en el futuro, es este coro de gallos que señala la fiesta Pascual, pues ya el cordero no sobrepone su balido al cacareo.

Un oir cantos de gallos es lo que nos queda en verdad como obsequio de la vida, pero yo sé que tú como yo hemos llegado a gozar de la sobriedad y el ascetismo que nos han tocado como regla de vida.

No poder y no querer comprar un pavo, no sobre-cargarnos de símbolos ocasionales, sólo gozar con el regalo de Dios, que es seguir viviendo libres, indepen-dientes, pudiendo escribir lo que queramos en esta carta que no espera contestación.

Felices días y abrazos de

*Ramón.*

Querido Ramón:

En vista del estado de ánimo un poco pesimista en que me encontraba, he recurrido a la vieja medicina de los viajes: me he ido a Nueva York.

Gracias a la confianza que supone esta correspondencia en que no hay engaño para segundo, puedo muy bien permitirme la carta viajera, aunque no me haya movido de mi despacho.

En este viaje sin las enormes violencias, molestias y gastos de los viajes, pero con el gusto de escribir una carta desde un sitio lejano, me alegra el ánimo haber llegado a Nueva York y poder describir la ciudad sin más ambajes, con mejor sonambulismo que el de un viajero.

Desde luego en Nueva York hay una lluvia vertical y torrencial de ventanas, a la que hay que acostumbrarse para no perder la cabeza.

Nueva York, en invierno, es un gabán de marta cibelina cubierto de nieve.

Los guardias guardan las calles en optimismo de guardas de jardín y no teniendo un crimen a cuestas no se les tiene miedo.

Las señales del tráfico funcionan como las señales de los trenes y todos nos reenganchamos para pasar.

costándonos trabajo reemprender la marcha libre por
la acera, ¿nos hemos ido por otro camino o vamos por
donde íbamos?, ¿nos hemos convertido en otro y el otro
en uno? ¿Nos quedamos en la otra acera, pasamos a
ésta o somos el que se ha llevado atropellado la sonora
ambulancia?

Los coches de niño circulan en una proporción que
sería alarmante si llevasen niños dentro, pero, en realidad, lo que llevan son subsistencias, máquinas de escribir, quesos de materias plásticas, comestibles, aparatos
eléctricos para reformar el aire.

Lo único que hay que tener cuidado es con no pade-
cer la psicastenia de la circulación apresurada y convertirse de pronto en hombres moscas y comenzar a
subir por las fachadas, dominados por el frenesí neo-
yorquino.

La tentación de los bazares es mucha, pero como no
tenemos niños a los que regalar un juguete, nos cuesta
mucho trabajo desprendernos de ellos.

Como viajar es comer y divertirse, entramos en res-
taurantes mecánicos divertidísimos, en cuyo largo mostrador en forma oval van por rieles de tren eléctrico
para niños, las diferentes viandas en circulación y se
agarra al pasar el plato que más nos gusta, esperando
que pase de nuevo el tren interminable cuando queramos el segundo y después el tercero.

Todo se paga en cheques, hasta el tranvía, y eso da
mucha facilidad sin tocar el contagioso dinero.

La noche está llena de lampos de luz en que entrar
y salir despavoridos y mil Lunas Park nos esperan, nos
succionan, nos dan vueltas, aumentando por días la violencia de todos sus juegos, habiéndolos de propulsión

a chorro y movidos por la energía atómica, haciéndonos devolver al éter la cena sintética y ferrocarrilera.

Un encanto y después el buscar el hotel que no se encuentra por ningún lado y el cerrar y el abrir las maletas, como si tocásemos el acordeón.

¿Por qué procurar el turismo incómodo de los grandes viajes, si ya es tan incómodo este turismo supuesto?

Defendámonos de la inquietud propia del dinero, que desea mezclarse y cambiarse con otras y por otras monedas.

Ya ves lo que sucede viajando teóricamente y sin responsabilizarse por nada.

Abrazos de

*Ramón.*

Querido Ramón:

Medio mundo quiere asaltar al otro medio y la que se ha descubierto ahora como guerra fría es la persistente guerra de siempre.

Lo malo es que a nosotros nos empujen y nos desbaraten la mesa en que escribimos, leemos y pensamos, noblemente acodados para pensar.

En el empuje de unos contra otros nos remueven hasta la casa y un día nos la encontramos a miles de kilómetros de donde estaba.

Han aumentado las fuerzas del mundo y la ley es que sean siempre unas negativas y otras positivas en perpetua alternancia, sin posible reunión sin que se fundan desastrosamente.

Estabilizar esas fuerzas fué un prodigio del pasado, pero quizá porque no habían llegado al voltaje de hoy.

Los que nacimos con burla suficiente, sabemos sostenernos en medio de las dos corrientes y la inquietud y el temor no son tan penosos.

Ganamos días, noches, a veces mañanas y gracias a las gracias podemos sostener correspondencias superfluas y constantes como ésta.

Les ganamos la partida a los obcecados y fanatiza-
dos, pudiendo decir lo que queremos. Entremedias de
la brutalidad es bonito decir la frase inaudita.

Hoy y bajo el sobre de esta carta cruzamos por en
medio del fuego criminal y puedo decirte que hay lágrimas que son gusanos blancos y que el pañuelo es la
mortaja de la nariz.

Robar al hacer el no hacer es uno de los encantos de
la vida y las tazas que no se usan nunca son más felices
que nosotros precisamente por ese ser y no usarse.

Todo está equivado y Dios sonríe al que tiene inge-
nio de no entrar en infundios ni trabajos, gozando de
ratos neutrales de ver las horas libres de carga, sin
llevar encima la pesadez de un pensamiento solemne.

Quieren quitarnos esta facultad de hijos de Dios, de
encararnos con lo triste y con lo que parece no signi-
ficar nada, que los ríos de sábanas van a dar al mar o
que la tortuga no toca el violín.

No hay felicidad como la de pensar lo que se quiere
en vez de pensar en lo que los demás quieren.

Aprovechamos que no hay censura sobre las cartas
para decir lo indecible y que no es lo que está prohibido decir sino lo que se satisface de su inconsciencia,
como, por ejemplo, que los chalecos se tragan los bo-
tones —no los pierden— y que en los pasillos hay ruido
de estirarse los dedos la oscuridad.

Una carta, tú, comprendes muy bien que no entra en
concurso de nada y por eso puede dar forma a la nada,
hablar de la nada, orientar la escaramuza del papiro-
tazo, barajar las uñas, trabucar las venillas del cerebro
y peinarlas con raya en medio, calumniar al cuchillo,
denunciar que el contador de la luz está loco.

Ni temperatura, ni nombramientos, ni historias de los niños, sino llanamente decirte que el papel higiénico tiene telegramas propios y del extranjero y anuncia que la bolsa invisible arruina al mundo.

Abrazos de

*Ramón.*

Querido Ramón:

Si estaremos desprendidos hasta de nosotros mismos
que estas cartas sufren largas interrupciones.

¿Es que no tengo nada que decirte? Tengo que decirte, pero no quiero decirlo; son cosas que no mere-
cen la pena de reducirlas a palabras, que es mejor de-
jarlas desvanecerse en el ocio.

Retenerse es sufrir más dolor, alargar el eco de lo
desprendido, dejar pruebas digitales de la torpeza de no
adivinar mejor lo que es la vida.

Si te escribo, estoy despidiéndome y despidiéndote,
pero si no escribo estas cartas vivo la inconsciencia del
desangre fatal.

Sin embargo, algo hay que decir de confidencia suprema para que todo no sea hipocresía.

Lo prodigioso es que no nos agujereemos, que pa-
semos intactos de un día a otro y, sobre todo, de diez
en diez años.

La muerte, que podía ser un horrible desmigaja-
miento de la carne, es sólo una notificación, que por
eso nos da tiempo y serenidad.

Perdona estas insistencias sobre lo que es la mayor
realidad de las cartas, pequeños testamentos que vuelan, añadidos cariñosos al testamento general.

Sólo puede interesarnos lo que saquemos de esta contemplación en que vivimos, cómo el alma se relaciona
con el tiempo y la distancia, la oruga sugeridora que
sale del agujero interior, la caries dentaria.

Si no nos distrajesen las necesidades de la vida, la
nitidez y la diafanidad de la vida nos haría caer des-
articulados y desmayados en el gran pozo.

El vacío está en nuestro fondo provocando el vértigo
y sólo la mirada al cielo nos da la esperanza de vivir
agarrándonos al brocal, levantando la cabeza fuera de
nosotros mismos.

Es un vacío lleno de tenebrosidades ese vacío interior, pero por lo menos puede estar libre de ensaña-
mientos y maldades. La gran incomodidad del ser humano es ese tropezar con la alevosía interior.

En el desahogo de estas cartas parece que viajo hacia
el chalet que no tuve nunca y encuentro en algún sitio
al amigo que no falta a la asiduidad.

Como no estoy esperando a ninguna hora para ven-
garme de nadie ni de nada —bastante nos venga la
vida sin insinuárselo la nada—, esa llegada de mis cartas al jardín es tranquila, como un desplegar de periódicos extranjeros.

Mi carta —esta carta que recibirás— entre revistas
y diarios lejanos y llevarás haciendo la recorrida desde
el buzón de hierro —pamela del correo— hasta el
umbral de la casita, sabiendo que es mía, la sabrás sin
mentiras, sin agravios y sin malos cuentos sobre lo
demás.

Del mismo modo, yo, todos los días cuando sube
la que me asiste, miro sus manos, y todavía pregunto
cuando vienen vacías: «¿Ninguna carta?», pero yo tam-

bién he logrado la carta infalible, como una contestación reparadora a mí mismo, con esta carta —tuya y
mía— que quiere decir algo de una vida desconocida,
apremiada por la necesidad, optimista siempre porque
ésa es mi única riqueza.

—¿Ninguna carta?

—No, ninguna.

Por lo menos recibe ésta, en que hay una despedida y
un recuerdo del buen amigo.

                                            *Ramón.*

Mi querido Ramón:

Lo que me gusta al escribirte es que no resulta un acto narcísico y tanto no lo es que lo que voy viendo es que tú no eres yo ni yo soy yo.

Estas cartas probarían que al dirigirse uno a sí mismo con franqueza no se reconoce uno, no tiene apenas que decirse y cuesta más escribirlas que las que se dirigen a un simple conocido y resulta uno diciendo cosas que no son para ti ni para mí, sino para otro.

A través del tiempo quiero aguzar esta experiencia en que me he metido.

Lo principal en mi constatación es dar fe privadamente de que soy pobre, pero feliz en esta América a la que le ha tocado la paz durante siglos, la América inviolable en que la luna marcha despacio, despacio.

Te escribo en una noche primaveral desde el patinillo que hay junto a la cocina y se abre en una rompiente de espacio libre al azul del cielo.

En la barrera de paredes que le queda y para que no tuviese color de cárcel, pinté un gran paisaje, que titulé *Mi lote*, y que por lo alambrado que está de arriba a abajo, le añadí un paréntesis en que escribí: (Sin mosquitos.)

Te escribo a la luz de la luna para mejor reintegrarme a mí mismo, pues, en esta vida de confusión e insaciabilidad del siglo, sólo la luna apaga la sed y como la luna no es nada la deja en nada, en menos cero y eso nos tranquiliza.

La luna es, además, la carta en blanco que nunca será entregada a nadie y que es como falsilla ideal de la constancia en el escribir y el mejor modelo de carta a uno mismo.

Frente a la luna no me inquieta el no haberme afeitado, porque es el único espejo que no plantea esa exigencia.

La luna, no lo olvides, es nuestra mejor compañera y no nos exige que nos hagamos otro traje. Nos permite también ser dejados y desgalichados.

¿Hacerse otro traje? No, por Dios, que nos echarán redes invisibles y nos veremos metidos en aquéllas por causa del otro traje.

Ten cuidado y no te hagas otro traje.

No hagas caso como yo y resístete a hacerte un nuevo traje, por más que el mío sin ser de alpaca, parezca de alpaca por sus honrados brillos. Por algo vengo de esa España en cuyos pueblos hay «trajes eternos».

Por eso cuando todos resultan «comprometidos» mis cartas no están comprometidas con nadie ni con el propio destinatario. Pero no quiero ponerme grave en esta carta que es sobremesa de las tareas duras. No se diga que nuestra correspondencia es pesimista, aunque lo sean algunas de las cosas que en ella suceden. La vida que nos rodea inextenso es como una pandereta y el más cordial símbolo de esa pandereta es la luna.

Evitando hablar de política todo se ensancha, se optimiza. Los obcecados que no hablan más que de eso creen que no hay lunas, jardines, amplios horizontes.

Pensemos con esponjosidad de pensamiento en la oportunidad que nos han dado para verlo todo y gustar un turno de años para ver el teatro del mundo.

No. La vida es esta contemplación, esta contemporización y que la policía persiga a los ladrones que quieren encarecernos demasiado la vida, los fratricidas por ambición, demasiada gentuza para comerse a un hombre solo.

Que empleen todas las armas para los que quieren disminuir la divina proporción de nuestra modestia, que radiografíen a todos los aviones y que empleen los isótopos para evitar la agravación de la usura.

Tú grítalo en tu pecho, alrededor de tu chalet con jardín, pero no aproveches ocasión para pedir más y hacer que todo se desmorone.

Quietud y reposo antes de que suene la trompeta de la guerra universal y salgan del negro encerado todas esas divisiones: mil, dos mil, cinco mil... como ya pasó alguna vez en nuestros sueños infantiles —¿te acuerdas?—, pero con derrame de cifras, de muchos números blancos y garabatescos y no de hombres con uniformes tétricos.

Abrazos hasta la próxima de

*Ramón.*

Querido Ramón:

Cada vez tengo menos tiempo para escribirte y a los que exigen que les escriba les digo: «¿pero cómo voy a escribirles si no tengo tiempo de escribirme a mí mismo?»

Y es que el encarecimiento de las cosas necesita más trabajo al prorrateo y al por mayor y para poder vivir tenemos que gastar nuestro tiempo —exactamente todo él menos el que gastamos en dormir y comer— en ganar dinero.

El articulista tiene que hacer veinte artículos más, el profesor tiene que reunir nueve horas más de lecciones y hasta el que hace cestas de mimbre tiene que hacer diez cestas más.

¿Quién precipita y numeraliza esa tarea de la vida? De un lado los que quieren vivir como vivían en un mundo en que hay más innumerables bocas y de otro los que encima quieren vivir mucho más cómodos y que nunca y secretamente les lleva eso a subir todo lo que venden, desde el objeto de regalo, pasando por los zapatos, hasta el tomate que les ha tocado en suerte vender.

Tú comprenderás que no hay solución y que la subida se complica y compromete más cada día que pasa.

Se trata de uno de esos cuentos en que la fábula asombraba con la progresión creciente de lo concedido por el sultán.

Muchas veces había yo pensado cuando vivía en Portugal y cuando estuve lejos de él, qué cataclismos siderales habían hecho que lo más insignificante costase allí a principios de siglo diez mil, veinte mil, cincuenta mil reis. Indudablemente la unidad «Rey» debió tener al principio todo su valor real. ¿Entonces por qué llegó a valer millones de millones de reis cualquier cosa un poco importante? No se puede creer que quisieran jugar a las grandes cantidades.

La catástrofe geológica del dinero se produce misteriosamente como esos desprendimientos de tierra en el fondo de la tierra que producen los terremotos.

Lo que pasa es que nos creemos ajenos a las multiplicaciones y divisiones que se fraguan en el universo, donde innumerables Einsteins hacen cálculos que nos atañen en la pizarra del firmamento como si todo él fuese una máquina eléctrica de calcular.

Sin embargo, tú sabes bien que un minuto que se tenga de verdadera indiferencia y de ocio con el corazón alegre, basta para vencer todo ese atosigamiento del ruido de la máquina del gran cálculo en el salón central del Banco de la vida.

A mí que me den lo que sea —poco o mucho— pero que no me den muchas explicaciones. En las explicaciones está lo superfluo y la pura dispendiosa pérdida.

Nosotros a defendernos de esa presión externa, a diversionarnos, a hacer y decir gansadas, pero no a ser el ganso que se coman en definitiva los demás.

Tenemos una cantidad de tiempo invariable y dentro de esa cantidad hay una moneda de oro que fue igual de brillante y mágica en manos del primer morador del mundo que lo será en manos del último.

Esa moneda de non, que no puede ser fragmentada y que es siempre como una moneda anacrónica «que no pasa», es la moneda de nuestra seguridad de estar en la tierra firme de nuestra personalidad, de nuestra propia felicidad, moneda dada sólo para confrontarnos y para que tengamos para nuestros pequeños gastos de especulación virtuosa.

Esa moneda equivocada que parece haber entrado por azar en el juego de las otras monedas es la que tú y yo hemos sabido gastarnos con más jolgorio.

Tú sacaste de ella para tener ese chalet con jardín en que esperas mis cartas y yo la despilfarraré siempre sin llegar a tener ningún chalet.

Abrazos de

*Ramón.*

Mi querido Ramón:

Todo día aparece apaciguado, nivelado, con tipo de otro día.

Pero no te fíes. Todo día lleva en sí lo que nunca sucedió y en el fondo nos desconoce plenamente.

Se prepara a un turismo de engaño en que nosotros que vivimos hace tiempo en la ciudad somos tan turistas como otro cualquiera.

Un dolor de barriga de turista huérfano lo puede trastornar todo y tener que devolver los trajes prestados.

No nos damos cuenta de por qué hacemos tal o cual trayecto o tal o cual excursión. Un guardia nos trajo la orden y nosotros la cumplimos sin acabar de darnos cuenta.

Recorremos la ciudad como tribus volantes de turistas que tienen algunos deberes, pero que entre deber y deber se mueven como empujados por un viento colectivo.

Es largo ese turismo, repetidor, casi incansable y durante su duración nos ofrecen los escaparates la ortopedia menuda que parecemos necesitar.

Lo esencial es escribir la carta confidencial por si nos secuestran, nos engañan o nos despojan —no quiero pensar que nos maten— aclarando en carta a nosotros mismos los indicios del día.

Hoy por ejemplo quiero que sepas que las corbaterías han comenzado a echarme el lazo y he leído carteles de engaño —¡pobre del que les haga caso!— que aseguran hacer de un traje viejo un traje nuevo.

Yo ya sé que si uno va a esas señas llevado por ese reclamo, allí nos deshuesarán y nos convertirán en carne condensada.

Te puedes reir de la suposición. Yo también me río, pero no acudiré jamás a esa llamada.

Llevo años salvando a mi mujer de modistas desconocidas que cambian miembros de unas clientes por miembros de otras y sobre todo los días de tormenta las trasfunden las ideas y las cortan un mechón del pelo del alma.

Lo que te quiero hacer ver, tranquilo poseedor de un chalet en las afueras, es que la vida en cuanto sales del chalet comienza a tener inesperadas querencias, y hasta en el chalet no te fíes, pues si está muy silencioso y en soledad un día sube tanto el silencio y la soledad que no se te encuentra; te has fundido con el fondo del paisaje, te ha acallado el crimen o el colapso.

Yo prefiero por eso la complicación de la ciudad, sus ruidos, su visible comparsa, pues todo eso denuncia el peligro de que te quedes parado y hundido en el gran silencio. Hasta un billete de tranvía es salvador ¿y qué billete de tranvía te dejaron en el bolsillo tus paseos por el campo?

Hace dos días que no salgo porque ha habido un asesino de ascensores que malhirió al mío y no sabes lo bonito que es haberse quedado en globo y que sea

fatal el no plegarme a los aireados grupos de turistas
diurnos o nocturnos durante un par de días.

Intento como verás revelarte lo que hay a *forciori*
en la vida y cómo nos empuja la fatalidad tanto en el
campo como en la ciudad. La diferencia está en que en
el campo hay más impunidad para el aburrimiento y
la desaparición tragado por las raíces y en la ciudad
todo es aturdido por el tambor y el pífano, borrado el
aburrimiento por las bocinas, espantado el miedo por el
traqueteo de los tranvías.

Gracias a mi carta algo te he aclarado mi foraste-
rismo de hombre que no se ha movido hace años del
laberinto de las calles.

Abrazos de

*Ramón.*

Mi querido Ramón:

Variaciones sobre el desengaño optimista.

No es otra cosa el vivir y cuando contigo quiero ser espontáneo sin miramientos, me sale lo mismo.

En este momento el mundo vive de la habladuría. Si no es habladuría directa, de primera mano, no interesa.

Confidencias de los niños y de las niñas nuevas: lo que hace el hijo del rey de los relojes ha llegado a lo inaudito y lo que hace la hija de la gran excéntrica ha llegado a lo superinaudito.

No quieren saber más del embate o del oleaje de la vida, ni de cómo el alma se prepara para merecer la ascensión. ¡Nada de eso! ¡Sólo habladurías y habladurías!

«Siempre fue así», dirá el que quiere disculpar el presente con el pasado, pero no es verdad, no era tan así.

Aquellas gentes tenían ratos de reflexión y de oración y la literatura era superación de amor o de aventura, idilio del viaje, deseo de inmortalidad.

Ahora las novelas —lo único con que llenan a ratos sus ocios— son novelas de habladurías, de poner al descubierto los merodeos de los personajes, de amontonar mezquindades y confidencias triviales dentro de su desvergüenza: otro alcaloide concentrado, otro ladrillo comestible. Novelas que ellas leen bajo la pantalla del gabinete como si estuviesen en la peluquería con el casco de la permanente colado hasta los ojos.

Es como si estuviesen ellas —o ellos— en ese barco de recreo en que todo es sol, azul del cielo, maderas o hierros pintados de blanco y todos en traje de baño riendo de nada.

He notado que en alguna casa la señora no tenía interés por mis incitaciones a una mayor lealtad, a una mayor sinceridad, a una mayor dignidad y dejaba de cenar en la noche que yo iba.

El marido aún tenía a salvo un último deseo de cosa fresca, moral, insinuadora de superaciones y por eso deseaba que nos encontrásemos de vez en cuando.

Te digo que son indignantes estas ausencias y eso que yo iba a esas cenas desinteresadamente, sólo para ver si lograba que los que fuimos amigos en la buena época retomásemos juntos la vereda hacia lo alto.

Otros no quieren más que tratar a los ricos que aún hacen gastos deslumbrantes —no en el convite— o les ven llevar talegas de oro por vericuetos que les comunican en secreto, esperando seguirles alguna vez por esos caminos reservados, también con su taleguilla al hombro.

Ya la frase: «una vergüenza» no sirve o habría que ponerla una diéresis grande como el sol y la luna juntos.

En el desahogo de la carta te podría contar otros pormenores, pero siempre son de la misma solapada clase de «si son» o «no son», de «si estaban» o «no estaban», de «si fueron a tal parte» o «no fueron a tal parte».

La baraja como en un juego de casino es interminable y cada naipe sirve de biombo a un mal pensamiento.

Siendo lo que marca el triunfo una confirmación que en el fondo es una perdición más, pues como piensan invirtiéndolo todo, creen que el mundo no se salvará sino a costa de perdiciones.

La verdad es que se va quedando uno como un sobre inutilizado, el sobre con la dirección cambiada que hay que romper.

Afortunadamente lo que tengo de carteador —que no necesita siquiera sobre— me hace sensible para la denuncia, para el repudio y para revelar cómo va subiendo el empedernimiento logrado y llevado con toda naturalidad.

En vez de a ti les escribiría cartas a ellos para hacerles notar que la vida es anchurosa simpatía en el bien, galanura sencilla, no estar queriendo oir las malas estaciones de las radios comadreantes con onda privada.

¿Qué vamos a hacer en esta desconexión con tantas gentes?

Nos queda la soledad que es extensa como el universo y que hace su jardín en las estrellas.

Hasta otra, abrazos de

*Ramón.*

Mi querido Ramón:

Te voy a escribir una carta cubista-surrealista.

Todos los volúmenes de las cosas están delante de mí y, sin embargo, no son míos, están en el inventariado del mundo y tienen ya el precio de la almoneda.

Así el espectáculo de la vida se va subdividiendo en cubos y todo lo que me rodea es superreal, es decir, está más allá de la realidad, se ha desplazado, se lo han llevado, se ha desdibujado y hace gestos inesperados de naturaleza muerta *picassiana*.

Si bien se mira, lo que nos acompaña se va convirtiendo en otra cosa —transformismo cubista— y por si eso fuese poco el surrealismo lo disgrega, lo mezcla del modo más dispar, amontonándolo en una prendería de objetos nuevos y viejos, desmoronándolo como si un carro de mudanza perdiese el corsé y se comenzasen a caer cosas por el camino, quizá en medio del campo si la casita a que nos mudamos está en las afueras.

Todo se va clasificando para otra mano o quizá para el arrumbadero general. El frutero se ha vuelto medio cuadrado y la jarra se ha vuelto también desigual.

En el azucarero ha habido también transformismo y los terrones al pasar a la inmortalidad se han vuelto de mármol.

Los objetos no pueden seguir teniendo su forma suave y blanda sino que han de ser espectros de sí mismos huyendo de su forma usual, a la que habíamos hecho mal en acostumbrarnos.

El mundo no es monotonía sino metamorfosis, recuerdo que da miedo, sorpresa de convertirse en otra cosa con colores de carnaval, con aristas que hieren la memoria.

Mi casa no es la que tú vistes en tu última visita sino otra, la que se recordará cuando estemos del otro lado.

No he hecho ninguna variación ni mejora, pero al ponerme a escribirte una carta cubista-surrealista, todo se ha convertido en otra cosa y ya nada es mío sino de la exposición abstraccionista de que forman parte mis muebles, mis objetos y mis libros.

¡Todo convertido en naturaleza muerta, o sea sustancia para los prenderos, bodegón para los que compran cualquier cosa, casa en despedida hacia el museo teratológico de todos los tiempos!

No es un artificio esta carta.

¡Si vieras lo fácil que es que se convierta todo en otra cosa!

¡Muérete y verás!

El cubismo y el surrealismo son la admisión de una muerte en vida, un giro entre el estar aquí o estar más allá, un paso de todo hacia la gran rifa de los futuros tiempos cuando el mundo sea una tabla con un agujero en medio. ¡Ausencia y descabalamiento!

Perdona que me haya metido en esta carta cubista-surrealista, pero ya no lo haré más.

Abrazos de

*Ramón.*

Querido Ramón:

¿Cuál es la medida de una carta? Cuatro carillas, las dos hojas que tiene un papel de carta.

Añadir más papel y más palabras es un abuso y preferible es escribir dos cartas si se tiene demasiado material.

Tú y yo estamos estudiando las cartas por dentro, a la luz cenital de la verdad, sin lagoterías ni deseos de recomendación o lucro.

Ésta es la carta por la carta, el ensayo supremo del arte, la descripción de la cacería en que no se estuvo, el interés por lo que no tenemos interés.

Llevamos las de perder en esta cartomancia porque estamos condenados al fracaso de una carta que no nos podremos escribir el día que suceda lo indeseable o el día en que deberíamos escribirnos el pésame.

Ni tú ni yo podemos darnos el pésame el día de nuestra muerte y este vacío imposible de ser llenado da cierta melancolía a nuestra correspondencia.

Sólo podemos dedicarnos a este juego de cartas públicamente cerradas y herméticamente abiertas.

Indudablemente tiene nuestro cruce de cartas a la vista de todos, un tono de experiencia bagatelaria porque no podemos decirnos sino cuartas partes de verdad.

Desde luego ninguno de los dos tenemos que ver en absoluto nada con las consignas para destruir el mundo, para inquietarlo, para hacerlo más incómodo.

Nos escribimos sin remoto encargo de incendiarios, sin agravar la pequeñez de las cosas, aunque agravemos la abstracción moral que debe presidir el mundo.

Como lo contemporáneo es insidioso y aconsejador de rebeldías, nuestras cartas están como apaisadas y se nota en ellas el manso pasar de los serenos ríos.

¿Es que entonces vamos a descubrir que las cartas son una calumnia, una denuncia o una pobre queja de la úlcera de vivir?

Si no hubiese llegado a este tocar fondo en el ofrecimiento de lo epistolar no habría llegado a saber que la carta es una habladuría, una referencia, un desear alguna pequeña cosa.

Encuentro ahora que la epístola no está preparada para decir lo indecible y que la cuartilla en blanco, ese noble pedazo de papel que no va a ser carta, es el que ofrece más garantías de sinceridad; menos ambigüedad ruin.

Hasta las cartas de amor preparan una encerrona, cierran un lazo, remachan un círculo de hierro, preparando lo capcioso.

Me siento en camisa de la carta y con una palmatoria en la mano.

Buenas noches.

*Ramón.*

Querido Ramón:

Voy descubriendo que hay un elemento de mentira en las cartas sin el que es muy difícil escribir una carta.

Si tu deseo de escribir es puro, se transparenta la carta como el agua, agua destilada para hacer medicinas, sin un pez siquiera en el fondo.

No sientes nada convencional, no tiene ningún chisme y la buena fe resulta que no basta, que resulta la carta químicamente pura.

Ya había yo dudado del sistema epistolar, pero esta experiencia que estoy haciendo y que me pone lejos de todo engaño, también me pone lejos de toda carta.

¿Podéis decir el secreto de nuestra creación y de nuestra vida?

Ni a nosotros mismos nos lo podemos decir, ni entre tú y yo, que somos más que hermanos gemelos, puede circular.

Ahí tienes el caso de los enamorados. Cuando más ofuscados están se pueden escribir cartas de amor, pero en cuanto llegan a la hora de la verdad, de la penetración absoluta, no les salen cartas.

Eso sí, las cartas desesperadas, las cartas de un amor fallido, las cartas a un ausente que no vuelve, tienen

facha y viveza de cartas por causa de esa misma desespe-
ración, porque son un desahogo de diario íntimo y las-
timero, secreto como el llanto.

¿Es que el género epistolario va a resultar una estafa,
un timo del portugués por carta, una homilía altiva, un
falaz cúmulo de consejos?

Sutileza en la seducción premeditada, añagaza, cita
para el crimen de amor, cosas así hay en las cartas.

Estándote escribiendo a ti he encontrado las vueltas
a la llamada correspondencia, precario procedimiento de
lanzar artificiales confidencias para los demás.

Yo he querido estar yo mismo en estas cartas y siento
que tengo que inventar cosas sinceras, es verdad, pero
que no me compensan del deseo de ser inventado yo
mismo al correr de la pluma.

¿Qué verdad íntima tenemos?

Apenas ninguna, porque somos un conato, una tran-
sición.

Se ve que fatalmente hasta el que no cree en la oración, el que se quiere resistir a ella, incurre en ella, no
tiene más remedio, porque el hombre sólo es una ofrenda
a la divinidad.

La superación de la carta —¡qué le vamos a hacer,
relapsos!— es la oración.

Oremos, pues. Abrazos de

                                            *Ramón.*

Querido Ramón:

Te va a sorprender esta carta en que te voy a pedir dinero.

¿Quién mejor que tú para dirigirte esa pretensión? Tú sabes muy bien lo que es la angustia de no tener y entonces como una materialización del deseo comprendido y compartido podrías sacarte unos billetes de ese bolsillo, en que nunca se guarda la cartera y en el que puede darse el milagro de la compensación.

Te parecerá una paradoja esta pretensión mía, pero sólo tú sabes lo justificada que está.

Ya sé que tú me dirás que el dinero no existe más que cuando existe, pero lo fecundante, lo que debía lograr su prolifidad es que se necesita cuando menos existe.

Los dos sabemos, entre los dos está el terrible secreto de lo abominable que es el dinero, pero las cosas responden no al nombre que llevan sino a la señal que las hace el dinero.

Nadie como tú enterado de cómo me urge, pero también más enterado aún de que no significa nada la urgencia para él y no le mueve a dar un paso hacia nosotros.

Claro que también tú sabes que no hay ningún placer comparable a no tener dinero... hasta tenerlo al día siguiente de no tenerlo. Así tiene noche el ver amanecer de nuevo y el sol tiene carácter de nuevo día.

No he tenido más remedio que escribirte esta carta porque sólo ante ti no siento el pudor de pedir, pero tú me dirás también con la misma franqueza que no tienes y que franqueza por franqueza tú tampoco tienes vergüenza de decirme que no puedes.

Estamos, pues, los dos ante la injusticia de no tener, perdidas en la soledad más inaudible las clamativas por lo que tanto necesitamos y empleando cartas para lo incontestable.

Se ha sometido a reglas inexorables el tener o no tener dinero y la moneda ha de ser la vuelta por el laberinto de fundas de sable que la hacen salir por los sitios previsibles. Por eso es ocasión de más ruina el recurrir al azar porque el azar no sabe, sino en algún que otro momento epiléptico, cómo se logra la subversión de lo más ordenado que hay en el mundo.

Sólo por una invención pura —eso es lo que esperaba de ti— se podría lograr corresponder a una necesidad con una generosidad automática, pero el dinero es la invención más impura explotativa y trabajística que se conoce.

No te inquietes en definitiva. A medida que te voy escribiendo, me doy cuenta del dislate que mi petición significa y más cuando yo no estoy dispuesto a complicidad, falsificación y especulación abusiva para conseguirlo y, por lo tanto, no quiero que tú incurras en esas cosas ni en otras parecidas.

El dinero es la ausencia absoluta y cuando no lo tenemos es cuando podemos no tener sombra en la oscuridad, pues para proyectar cierta sombra tenemos que tener luz alrededor.

Me satisface esta carta y me desahoga porque a la par que peticionaria es disculpativa y nos vamos a quedar tan tranquilos después de pedir y no dar, los dos horros de dinero, los dos sin remordimientos de conciencia.

No tener es como no haber nacido, tener por delante todas las posibilidades del nacer y nacer al cabo, porque tenemos que romper a nacer si no nos morimos de hambre, cosa que no suele suceder porque la Providencia está atenta a ese caso último y precipita el parturtaje.

Discúlpame, pues, la salida y ten en cuenta que es muy motivo de carta y que alguna vez había que suscitar la cuestión.

Así, viviendo de milagro durante tanto tiempo, somos dos prodigios y eso nos une más en nuestra amistad entrañable, sin escamotearnos favor posible, hermanos en no tener el amuleto del diablo durante largos ratos o largas temporadas.

Despreciemos el dinero, pues todo lo que no se puede improvisar espontáneamente es perverso de empedernimiento.

Te abraza

*Ramón.*

Querido Ramón:

Comencé a ver el otro día —primer día de otoño— cosas que se parecían a otro tiempo y me quedé arrobado con las esquinas.

Se amansaba el tiempo como en otro tiempo y como era el primer día de colegio todo se rebarnizaba de nueva inquietud, otra vez para nuevos niños el reencuentro con una realidad que quiere ser solemne, pero que pierde toda solemnidad al salir a la calle.

No sé por qué los delantales blancos y la lenidad del clima me hizo recordar aquella tarde de llegada a La Coruña cuando me asomé al mirador blanco del hotel y vi los miradores blancos, el de al lado y el de enfrente.

La pacifidad de la tarde trae esos recuerdos y también los forros blancos de los niños.

Como éste, aquel día de la luminosa Coruña recuerda un principio de curso, de primer curso de la vida adolescente, madura o senecta. Que todas las edades tienen de pronto su primero de curso integral.

Una continuidad de la vida, como verás, suprime todas las preocupaciones nuevas. Quizá la asiduidad de los usos y costumbres existe para salvar a los seres del

abismo de lo inusitado, pero no por eso hay que dedicarse en las capas superiores del cerebro al realismo y
sus zarandajas. No.

Hay que aspirar a decir y a pensar otras cosas que lo
que la rutina aconseja pensar y decir.

Lo importante es lo que se vea por la rendija a través
del sepulcro con calefacción.

En esas condiciones —sin el miedo de lo que va a
pasar a primero de mes— se encontraría la evaluación
de lo no calculado, algo de lo que sucede fuera de la
monótona vida de sociedad.

Yo he hecho muchas exploraciones, pero todavía no
he podido hacer la exploración pura que no está en el
correr de la pluma sobre el papel, sino en el escaparate
a toda rémora y a toda correspondencia subiendo como
la hormiga por la corteza del árbol camino de Dios.

Nada se explica sino por ese encaminamiento, por el
vericueto, descubriendo descifraciones, viviendo en venas fuera de las venas, fascinados por la sangre que irá
a parar a ocasos futuros.

Esparcir la gratitud de Dios por todos los encuentros
que se logren y por el hacer que se encuentra.

El mayor pecado del hombre y de la mujer —de la
mujer sobre todo— fue y sigue siendo la ingratitud, el
no ver que el mundo hasta en la mayor pobreza desva-
ría de riquezas —sobre todas la gran riqueza de la locura— y tan gran pecado fue el que necesitó toda la
grandeza de la Redención para hacerlo perdonar de algún modo, para que el hombre pudiese optar al premio
de la inmortalidad divertida.

Como tú comprenderás no voy a hacer un ensayo en
una carta, pero quería que supieses cuál es mi fe en

las cosas y los delirios camino de Dios Santo antes y después pasar el campo santo, el obstáculo de lápidas y panteones que me recuerda el que encuentran los caballos en los concursos hípicos.

Ahora como final te diré: que Dios te ampare y devuélveme mi dinero.

Ya sé que no lo tienes, pero el único al que puedo decir eso es a ti.

Ya sé, también, que haces todo lo posible por devolvérmelo, pero también sé bien que te lo llevaron, que necesitaste dárselo a unos y a otros para cubrir tus necesidades.

No seré yo el que te diga esa cosa terrible que hostiga y lanza al robo y al crimen; sácalo de donde puedas.

Tranquilízate. Me pagarás cuando puedas, porque antes tienes que pagar para vivir, pues de otra manera tendrías que estar muerto para tener la inmunidad de no pagar.

Nos comprendemos, nos comprendemos y cambiamos nuestras deudas. ¡Ojalá fuesen así todos para nosotros!

No tenemos más que esperar el gran desbarajuste y los acreedores serán deudores.

Los que más apuestan a cuándo llega ese momento develador apuestan para dos años. ¡Dentro de dos años!

Eso quiere decir que sucederá antes y se realizará por fin —tercera guerra— tu soñada moratoria general.

Quede en este estado de cosas amenazador en que todos estamos un poco destruidos, anonadados, temerosos.

La Humanidad, por rutina o inconsciencia, está ahorrando en estos momentos, pero no sabe que de nada o de casi nada le servirán sus ahorros.

Fuerzan las cosas en este estado provisional y desahuciado de no saber qué va a suceder.

El momento por eso es provisional y está condicionado por una época intermediaria entre el comienzo de la fatalidad predicha y el término de esa fatalidad.

Por hoy nada más. Abrazos de

*Ramón.*

Mi querido Ramón:

Ya puede uno estar en vigilia perpetua, acertando con lo que va sucediendo, salvándose al ciclón y a la inundación, escribiendo su experiencia incesante que aun con todo eso oirá los más peregrinos juicios sobre uno mismo.

¿Tú acaso sabes quién soy y me comprendes?

Por algo te escribo cartas largas y seguidas, porque también de ti desconfío. Esta correspondencia te va a comprometer, porque si mis cartas no te dicen todo lo que yo quisiera decir es que tú no me provocas a decirlo, no tiras de mí lo bastante para llegar a la más plena confesión.

Ya que escribo a quien tanto me conoce, debería lograr que aflorasen en mí verdades sorprendentes, secretos que a mí mismo me dejasen turulato.

Te elegí para crear un epistolario maestro en confidencias, y no acaban de salirme las que yo esperaba que nos aclarasen la vida.

Espero que surjan al correr del tiempo y que atravesemos juntos esta otra adolescencia que me sale como si fuese joven y hablase a otro joven.

Claro que todo esto es el deseo contradictorio de ser optimista cuando la vida —otra vez me contradigo— es pesimista aunque no quiera verlo, aunque se burle uno de ella, aunque quiera pensar en otra cosa.

Tenemos que tener paciencia escribiéndonos hasta dar con una fórmula fortuita que explique con su azarosa respuesta lo que es nuestra vida.

No es cosa que acabe pidiéndote que rompas mis cartas, no vaya a verlas alguien en su desbarajuste, en su decir unos días una cosa y otros la contraria.

Estas cartas deben quedar, porque son un halago a la rebeldía; no se las pasan denunciando al clima y a la Historia, sino que, por el contrario, quieren revelar que en nuestra época también hubo un espacio de serenidad para las almas que no enloquecieron.

Antes, en todos los tiempos, perseguían a los hombres solitarios que querían salvar de lo circunstancial y lo local una cosa que se llamaba la locura de la época.

Ahora las líneas generales de lo que ha de suceder, el plano general es sensato y es fatal, pero son los locos sueltos los que nos violentan, los que se asoman por el lado de fuera de nuestra ventana, los que nos amenazan o nos quieren leer la alocución retórica e infecunda.

Esos locos precipitados, psicopáticos, sádicos, de agresión improvisada, tocados de epilepsia y de poliomielitis, secuencia de viejos alcoholismos o de enfermedades del turismo, son los locos que nos agobian y trastornan el proyecto arquitectónico que tenemos admitido.

Fuera de al loco solitario no temo a nada, porque la gran sensatez inscrita en nuestro tiempo de madura civilización, encara con franqueza las mejoras por las que clama la justicia serena de la evolución.

Todo sucederá bien si los locos impacientes y derrochadores de violencia no se encaraman a los árboles, no crean las inútiles tragedias pasionales, no rasgan la tela del cuadro que va pintándose solo, con su asunto que oscila entre paisajes y casa urbana vitalista, tenidos en cuenta los turnos de sol para los vecinos al moverse la casa de cada cual sobre sus cimientos entramados con grandes cojinetes a bolas, magistral artilugio de la ingeniería.

La vida está llena de telones de proyectos y eso nos compensa y nos da tranquilidad. Los tiralíneas, con su sorbo de tinta en el pico, moviéndose sobre el tablero móvil, permitirán dominar el panorama de la ciudad futura.

Como ves, mi cuarto se ha iluminado como el de un arquitecto, los locos se han espantado y el modesto memorialista epistolar ha vuelto al principio —final de la carta— en que no sabe y espera que en la próxima ha de dar con «eso» para lo que se inventaron las cartas y, con ellas, la inviolabilidad de la correspondencia.

Abrazos de

*Ramón.*

# ÚLTIMA CARTA A MÍ MISMO

Mi querido Ramón:

Otra carta de impresiones íntimas para desintegrar la maligna comadrería que nos rodea y en que colabora el novelista y el gregarismo de la vida.

Todo se puede propalar alargando la literatura inútilmente, con sólo recoger lo mezquino que está tirado en la calle.

Se levantan olas de comadrería y todos van envueltos y lanzados por esas olas como por una inundación.

La comadrería busca el modo de coincidir en algo con los demás y lo porteril les atrae sobre todo. ¿Quién iba a creer que ése iba a ser el motivo de unión para muchos?

Yo, en mi soledad, siento el movimiento de esas circulaciones, la maligna solidaridad de sus elementos medio secretos, el empuje hacia afuera, la reexpedición hacia los espacios libres del alma, que así se aleja de esos círculos secretos y plenos de habladurías.

Parece que tengo un aparato de mi invención, el telecomadrismo, que me entera de ese tacto de codos que trae algunos favores a los aproximativos y me doy cuenta de las cosas que voy a perder por no estar con ellos. Pero no importa. Yo tengo muchos caminos lejanos y estoy en los espacios libres, gozando de las gobernaciones tranquilas, sin esa espera iracunda que les cuesta la vida a ellos, estérilmente perdida al no verificarse los nuevos asaltos en pos de las gangas esperadas.

Hay que reaccionar contra esos que creen que todo ha bajado, como si no hubiera cosas indesvalorizables.

Todos nos quieren desmoralizar en este momento al ver que no tenemos más riqueza que la alegría de nuestra moral y nuestra fe en Dios.

Todo lleva el desmoronamiento dentro y, en definitiva, nada hay construido para siempre en el mundo, pudiendo verse ya destrozado cualquier tapiz.

Todo ascensor y todo coche y todo tren y todo puente tienen financiado su final, y podemos verles ya aparecidos y desaparecidos.

Nuestra correspondencia va a acabar como todo.

No podemos escribir a quien sabemos lo que piensa. Necesitamos no saber lo que piensa aquel a quien deseamos escribir. Tiene que haber perspectiva y diferencia entre aquel a quien escribimos y nosotros.

Tú y yo estamos muy pegados el uno al otro, y oímos lo que vamos a decirnos antes de escribirlo.

Ha sido un intento noble, un ensayo para decir más de lo que solemos decir, pero ha fracasado por ese mismo entrañabilísimo identificado.

Es una correspondencia frustrada por muy buena intención que hayamos tenido.

Quede como muestra la imposibilidad humana, de cómo el espíritu se volatiliza en el espíritu, de cómo tenemos como argumento los acontecimientos exteriores e históricos, las enfermedades, las variaciones de fortuna, el recuerdo de los difuntos recién muertos, los sucesos de familia... y nada más.

Al hacerte lejano iba poniendo lejos lo que era más mío y me iba quedando más completamente solo. No podía ser. Me iba deshuesando.

Nos está prohibido este serio diálogo de lo epistolar. Nos queda sólo el monólogo, la autobiografía, el diario íntimo.

Reintegrémonos los dos al «uno mismo» que somos, y quede desmoronado ese chalet que te tuve que inventar para desplazarte de mí y poder dirigirte mis cartas. ¡Qué lástima de casita en el campo!

Y buscando otros caminos para encontrar las confidencias supremas, recibe el adiós definitivo de

*Ramón.*

# ÍNDICE DE AUTORES

# ÍNDICE DE AUTORES

COLECCIÓN AUSTRAL

# ÍNDICE DE AUTORES